Een wereldsmoes!

Ere wie ere toekomt: de grap waarmee dit boek begint en waarop het ook geïnspireerd is, werd gemaakt door nieuwslezer Philip Freriks in het achtuurjournaal van 24 mei 2005.

Hans Kuyper
Met tekeningen van Olivier Rijcken

Zwijsen

Toegekend door KPC Groep te 's-Hertogenbosch

1e druk 2007

ISBN 978-90-276-7395-4
NUR 283

Illustraties: Olivier Rijcken
Omslagfoto: Marijn Olislagers
Vormgeving: Eefje Kuijl
Uitgeverij Zwijsen B.V., Tilburg

Voor België:
Zwijsen-Infoboek, Meerhout
D/2007/1919/191

Inhoud

Poema

De poema is een grote kat die leeft in Amerika. Net als alle katten is het een vleeseter. Het liefst jaagt hij op herten, maar ook een hapje insecten of zelfs een krokodil slaat hij niet af!

Poema's kunnen geweldig ver springen. Soms komen ze wel twaalf meter ver. Dat komt doordat hun achterpoten langer zijn dan hun voorpoten.

Een poemamoeder krijgt meestal drie kleintjes tegelijk. Maar ook een nestje van zes komt voor. Kleine poema's hebben zwarte vlekjes. Na twee jaar zijn ze groot en trekken ze de wereld in.

De poten van een poema zijn plat en breed. Daarmee kan hij erg goed bergbeklimmen!

Tegenwoordig wordt de poema met uitsterven bedreigd. Op veel plaatsen is hij zelfs al uitgestorven. De poema's die er nog wel zijn, gaan mensen liever uit de weg. De kans is dus niet zo groot dat je ooit een poema in het wild zult zien!

1 Het journaal van zaterdag 23 juni

Op de televisie zijn brandende auto's te zien, en huilende mensen. Een ambulance scheurt tussen de vlammen en rookpluimen door. Iemand wordt weggedragen op een brancard, afgedekt door een laken vol bloedvlekken. Overal is paniek, schrik en verdriet.

Valentina kijkt er niet naar. Het is zo afschuwelijk, en het gebeurt bijna elke dag opnieuw. Het is altijd wel ergens in de wereld helemaal mis. Ze wordt er verdrietig van. Liever kijkt ze naar het biljarten, maar de mannen zijn ermee opgehouden om het nieuws te volgen. Iedereen in het café staart naar de tv, die als een groot, kleurig oog in een hoek boven de bar hangt.

Valentina staart naar de beschilderde tegeltjes naast het buffet. Ze kent de teksten uit haar hoofd, maar alles is beter dan de ellende in het journaal.

'Elke dag dronken is ook een geregeld leven,' mompelt Valentina. 'Veel gegeven paarden maken een manege. Als de regen valt in mei, is de maand april voorbij. Aan alcoholhoudenden worden geen minderjarigen verstrekt.'

Hoe zou het met Job zijn? denkt Valentina. Zit hij nu ook bij de tv? Of is hij bezig met zijn computer ... Ze krijgt zin om bij hem langs te gaan. Misschien heeft hij wel zin in een boswandeling. Maar als hij aan zijn computer zit, krijgt ze hem niet mee. Dan wordt het weer uren naar een schermpje turen, op die muffe kamer van hem. Ook geen prettig vooruitzicht. Misschien moet ze hem eerst even mailen.

Het oorlogsnieuws is voorbij. Valentina durft weer naar de tv te kijken. De nieuwslezer vond het ook naar, dat kun je zien. Met een ernstig gezicht verschuift hij zijn papieren.

'En nu iets heel anders,' zegt hij. 'Op de Veluwe zou een poema rondlopen. De afgelopen dagen is het dier meermalen gesignaleerd in de buurt van Ermelo. Gisteren is het voor het eerst gelukt er opnamen van te maken. Een wandelaar schoot deze beelden met zijn mobiele telefoon in het Speulderbos. U zult begrijpen dat de kwaliteit van het filmpje niet geweldig is.'

Dat kun je wel zeggen, denkt Valentina. Eigenlijk is er niet meer te zien dan een donkere vlek tussen de boomstammen. Het zou net zo goed een kind dat verstoppertje speelt kunnen zijn, of een dronken boswachter. Toch zit Valentina nu aan de buis gekluisterd en ze luistert goed wat de nieuwslezer nog meer te melden heeft.

'Deskundigen kunnen aan de hand van deze beelden moeilijk vaststellen of het inderdaad om een poema gaat,' vertelt de nieuwslezer verder. 'Maar over één ding zijn ze het allemaal eens: het dier lijkt in niets op een komkommer.'

Valentina's vader en de biljarters schaterlachen, maar Valentina begrijpt er niets van. Wat is er zo leuk? Wat heeft een poema met komkommers te maken?

'Het is zomer,' legt Valentina's vader uit. 'Dan is er vaak minder nieuws, en dus gaan de journalisten verhalen schrijven over onbelangrijke dingen. Dat noemen ze de komkommertijd, omdat komkommers in de zomer groeien.'

'En omdat komkommers eigenlijk alleen maar van water zijn,' zegt een klant op de hoek van de bar. 'Een komkommer is een mooi groen schilletje met niks erin. En dit verhaal over die poema is een mooi verhaal over niks. Een typisch geval van komkommernieuws.'

'Ja,' zegt Valentina's vader. 'Elk jaar zien ze wel weer ergens een raar beest, en meestal blijkt het dan helemaal niet te bestaan. Deze poema is een komkommer, maar hij lijkt er inderdaad niet erg op. Snap je?'

Valentina snapt het, maar ze lacht niet. De poema is geen komkommer, dat klopt. Maar toch is ze geschrokken van het nieuws. Nu heeft ze nog veel meer zin om naar Job te gaan. Ze wil graag weten hoe hij erover denkt. En dat kan ook als hij achter zijn computer zit. Dat moet dan maar.

'Nog een colaatje, Valentina?' vraagt haar vader.

Valentina schudt haar hoofd. Ze luistert nog even naar de nieuwslezer.

'Vanavond blijft het droog en de temperatuur gaat maar langzaam dalen,' zegt hij. 'De eerste mooie zomeravond van het jaar. Ook de komende dagen houden we stabiel en droog weer met temperaturen rond de 22 graden. Het volgende journaal is om tien uur op Nederland 2. Een goedenavond.'

'Geen komkommer,' gniffelt de klant aan de bar.

Nee, denkt Valentina. Geen komkommer, inderdaad. Maar ik weet wat het wél is. Ik alleen in de hele wereld ...

- Zondag 17 juni -

Ik begrijp er niks van. Vanmiddag, toen het café openging, stapte Koos naar binnen en die vertelde dat er een poema in het bos rondloopt.
'Wie zegt dat?' vroeg ik met een rooie kop.
'Iedereen,' zei hij. 'Het hele dorp praat erover.'
Dat wist ik niet, maar ons huis staat ook een beetje buiten het dorp. Daar komt het van.
'Het zal wel weer,' zei mijn vader.
'Ik heb anders gehoord dat het nieuws uit betrouwbare bron komt. Niet van zomaar iemand, maar iemand met verstand van dat soort dingen.'
Daar werd ik een beetje trots door. Maar ik maakte me ook zorgen. Hoe kan nieuws zo snel gaan? Was Gerrit soms met een roeptoeter over de markt gaan lopen?
'Altijd wat anders,' zei mijn vader.
Ik belde naar Job. Hij wist het ook al. En hij had gehoord dat het op Radio Gelderland geweest was.
'Blijf maar op de weg als je naar me toe komt,' zei hij. 'Je bent een smakelijk hapje, tenslotte.'
Ik begrijp niet wat hij daar nou weer mee bedoelde. Dat weet je bij Job eigenlijk nooit. Waarschijnlijk was het een grapje. Grapjes zijn een soort hobby van hem. Hij kan bijna niet normaal praten.
Z'n andere hobby is die computer van hem. Of computers, kan ik beter zeggen. Zijn kamer staat er vol mee. En hij komt ook bijna niet buiten. Van poema's heeft hij al helemaal geen verstand.
Later belde Marieke ook nog om te zeggen dat ik voorzichtig moest zijn in de bossen. Dat ze niet wilde dat ik werd opgegeten omdat ze anders die presentatie dinsdag in haar eentje moet doen.

Grapje natuurlijk, maar zij wist het dus ook al.
Mijn vader haalde er zijn schouders over op. Hij schonk Koos een borrel van de zaak 'om even bij te komen'.
Het is geen fijn idee. Ik krijg er een beetje de kriebels van. Ik bedoel, dat was mijn bedoeling dus niet dat iedereen er nu over kletst. Het was gewoon een smoesje, omdat Gerrit anders boos was geworden.
Als je het goed bekijkt, kon ik er eigenlijk niet eens iets aan doen. Ik hoefde die zingende president niet te zien. Maar Job vond het ontzettend grappig.
'Hoort bij je opvoeding,' zei hij.
En hij zei dat ik moest blijven zitten.
Het is Job z'n schuld!

2 Kroegverhalen

Valentina's vader zet het geluid van de tv uit en schenkt voor zichzelf een glas cola in.

'Mooi verhaal over die poema,' zegt de klant die op de hoek van de bar zit. 'Ik blijf vanavond maar uit het bos weg. Wat jij, Gerard?'

'Geloof jij het dan?' vraagt Valentina's vader.

'Nou ja, het beest staat op film ...'

'Niks staat op film! Het kan net zo goed een hert geweest zijn, of een wild zwijn. Wat was er nou helemaal te zien?'

De deur van het café zwaait open en Koos stapt binnen. Valentina kent hem wel, hij komt vaak een borrel halen. Zo te zien is hij nog vrolijker dan anders.

'Goedenavond samen,' roept hij. 'Geef deze nieuwe Steven Spielberg eens een lekkere borrel!'

'Waar heb je het over?' vraagt Valentina's vader.

Koos wijst naar de tv.

'Je hebt het journaal toch gezien, hoop ik?'

'Over de poema, ja ...'

Koos haalt zijn mobieltje uit zijn binnenzak en steekt het triomfantelijk in de lucht.

'Met deze camera gefilmd, jongen!'

Valentina kijkt hem met open mond aan.

'Was dat filmpje van jou?'

Koos knikt.

'Goed hè,' zegt hij, terwijl hij zijn borrelglas oppakt. 'Lekker Gerard. Proost!'

'Maar hoe heb je dat voor elkaar gekregen?' vraagt Valentina's vader.

'Nou, ik was aan het wandelen in het Speulderbos, en toen zag

ik opeens dat beest tussen de bomen ...'
'Wat voor beest?'
'De poema natuurlijk. Daar had ik al over gehoord, dus ik wist precies wat het was.'
'Zag je dat het een poema was?' vraagt Valentina.
'Wat zou het anders geweest moeten zijn?'
'Erg duidelijk was het filmpje niet ...' zegt Valentina's vader voorzichtig.
'Je kunt niet alles hebben,' zegt Koos en hij haalt zijn neus op. 'Gelukkig had ik net iemand gebeld, dus ik had die telefoon nog in mijn hand. Dat beest was zo snel, het duurde allemaal maar een paar seconden.'
'Een paar seconden,' zegt Valentina's vader. 'Een paar seconden om iets te zien, te bedenken wat het is en te besluiten het te filmen, de camera in te schakelen, te richten en een opname te maken.'
'Het was puur geluk,' zegt Koos.
Hij zet zijn lege borrelglas op de bar en gebaart naar Valentina's vader dat hij er nog wel eentje lust.
'Lekker tempo,' zegt de klant aan de bar. 'Ze hebben je zeker goed betaald voor dat filmpje?'
'Dat heeft er helemaal niks mee te maken! Het gaat helemaal niet om het geld.'
'Heb je er geld voor gekregen?' vraagt Valentina.
'Dat is normaal, zou ik zeggen,' zegt Koos. 'Uniek beeldmateriaal.'
Valentina kijkt hem aan. Zijn pretoogjes twinkelen en om zijn lippen krult een glimlach die je er nog met geen tien honkbalknuppels vanaf zou kunnen meppen. Hij drinkt zijn tweede glas leeg.
'Je hebt de boel toch niet lopen belazeren, hè Koos?' zegt Valentina's vader.

‘Denk erom, Gerard! Dat is de grootst mogelijke onzin! Je moet me niet boos maken! Ik heb gewoon gefilmd wat ik gezien heb, in het Speulderbos. En al het andere doet er niet toe. Als je dat niet gelooft, hoepel je maar op.’

‘Dit is mijn kroeg,’ zegt Valentina’s vader droog.

‘Precies, en ik ben de klant!’ roept Koos.

Valentina’s vader schenk zijn glas nog eens vol.

‘Maak je niet druk,’ zegt hij. ‘Wat het ook was, in elk geval geen komkommer.’

‘Nee, hahaha!’ brult Koos. ‘Goeie was dat. Nee, een komkommer was het zeker niet. Maar geloof me nou. Ik heb de poema van de Veluwe gezien, en ik heb hem gefilmd. Als eerste!’

‘De deskundigen ...’ begint Valentina.

‘Lekkere deskundigen! Het is geen hert of zo, dus is het de poema. Zo simpel is dat. Anders zouden die lui van de televisie me toch niet zo’n smak geld betaald hebben?’

Valentina knikt.

‘Ik heb nog wat huiswerk,’ zegt ze.

Niemand zegt iets terug. Haar vader is bier aan het tappen voor de biljarters. Koos voert een luidruchtig gesprek met de andere man aan de bar. Valentina sluipt onopgemerkt naar boven.

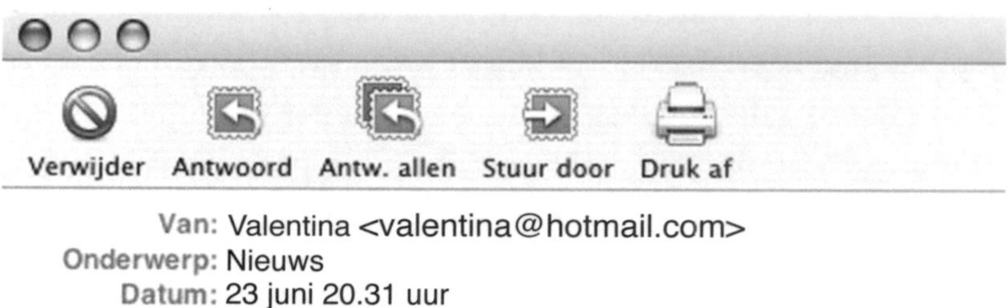

Van: Valentina <valentina@hotmail.com>
Onderwerp: Nieuws
Datum: 23 juni 20.31 uur
Aan: Job <job@hotmail.com>
Antwoord aan:

Hé, Jobbelijn!

Heb je het nieuws gezien?
Mijn vader vond het grappig, maar ik niet zo erg.
Ermelo wordt beroemd.
Weet je dat Koos dat filmpje gemaakt heeft? Koos van de Drieërweg!
Heb je zin om het bos in te gaan, meneer het genie?

Vlantje

Van: Job <job@hotmail.com>
Onderwerp: antw. :Nieuws
Datum: 23 juni 20.35 uur
Aan: Valentina <valentina@hotmail.com>
Antwoord aan:

Het filmpje zit al in mijn archief!
(Rarara wat bedoel ik daarmee!)
Ik vond die komkommer ook goed.
Het is toch leuk, een poema in onze achtertuin?
Gebeurt er tenminste nog eens wat in dit dorp.

Jobsidiaan

PS Ik ken geen Koos. Kom je nog langs?

Als je de computer uitzet.

- Maandag 18 juni -

Nu stond het ook al in de krant!
'Poema gesignaleerd,' stond er. 'Boswachter G. van der Krieken van het Speulderbos heeft melding gemaakt van de mogelijkheid dat er een poema of andere grote kat in zijn bossen rondwaart. Hij zei over een geloofwaardig verslag te beschikken. Verdere bijzonderheden ontbreken nog.'
Meer stond er niet, maar ik vind het alweer genoeg.
De krant ... Het loopt helemaal verkeerd.
Ik moet eigenlijk meteen naar Gerrit, voor het allemaal te groot wordt. Het moet gewoon stoppen.
Vanmiddag heb ik met Marieke aan de dino's gewerkt. Ze had allemaal boeken bij zich en ook nog van alles van internet gehaald. Eerlijk gezegd was het veel te veel. We hebben er een halfuur naar zitten staren. En toen vroeg Marieke opeens: 'Waarom ben jij zo vaak bij Job?'
Ze woont namelijk in dezelfde straat en ze ziet me dus fietsen als ik daarheen ga.
'Gewoon,' zei ik.
'En hij heeft altijd zijn gordijnen dicht,' zei ze.
Is ze soms een gluurder of zo? Ik werd opeens kwaad.
'Wat gaat het je aan?' riep ik.
En toen kwam ze met zo'n klein, vervelend glimlachje. Zo'n glimlachje dat maakt dat ik meiden háát. En waar ik ook vreselijk onzeker van word, net als ik dat niet kan gebruiken.
'Wat bedoel je nou?!'
'Dat weet je zelf ook wel,' zei ze.
Ik heb haar eruit geschopt en ben gaan zitten nadenken. Wat moest ik zelf ook wel weten?
Ik belde Job op, maar ik zei niks. Ik vroeg alleen of

hij een keertje bij mij wilde komen, in plaats van ik bij hem.
`Waarom?' vroeg hij.
Ik kon niet zeggen waarom.
'Gewoon,' zei ik. 'Dan kunnen we het bos in.'
'Het regent,' zei hij.
Wat maakt dat nou uit? Het gaat er alleen maar lekkerder van ruiken.
Maar ik ben toch maar weer naar hem gegaan. En hij had natuurlijk een site over dino's waar alles supersimpel op te lezen was. Ik heb een printje bij Marieke in de brievenbus gegooid en mijn tong naar haar uitgestoken toen ik haar gezicht achter de vitrage zag.

3 Het GPA

Het is niet zo dat Job een computer op zijn kamer heeft. Wie dat zegt, doet hem ernstig tekort. Hij heeft een heleboel computers, met een kamer eromheen. Een beetje krappe kamer zelfs. Er is alleen nog plaats voor een bed, dat half dienst doet als opslagplaats voor cd-roms en informaticatijdschriften. De gordijnen zijn altijd dicht.

'Je zou hem uitzetten!' zegt Valentina verontwaardigd.

'Doe ik ook, doe ik zo meteen,' zegt Job.

Hij zit zo dicht met zijn neus op het beeldscherm dat het lijkt of hij erin weg wil kruipen.

'Ik moet mijn zaakjes toch op orde hebben,' zegt hij.

'Welke zaakjes?'

'Mijn archief. Mijn naslagwerk. Mijn database, dus.'

Valentina zucht.

'Wat heb je nu weer dan?'

'Het GPA,' zegt Job. 'Ik ben er vanmiddag aan begonnen. Beetje scannen, beetje downloaden ... Het is al redelijk compleet ook. Nu schoon ik dat journaalfragment een beetje op. Wacht even ...'

Dat is nou een van de ergerlijke dingen aan Job, denkt Valentina. Nooit eens zelf iets uitleggen. Je moet er altijd naar vragen. Het maakt dat ze zich dom voelt, een tutje. En Valentina is veel, maar een tutje is ze zeker niet. Ze zucht nog maar eens een keer.

'Oké dan,' zegt ze. 'Wat is het GPA?'

'Zo,' zegt Job.

Hij klikt nog een paar keer met de muis en draait zich dan grijzend om. Zijn brilletje staat scheef op zijn neus en er kleven koekkruimels in zijn mondhoek.

'Jech,' zegt Valentina. 'Wat zie je er weer uit.'

'Dat doe ik expres,' zegt Job. 'Als ik te aantrekkelijk was, had ik voortdurend horden meiden achter me aan. En daar heb ik geen tijd voor.'
'Ik ben er toch,' zegt Valentina.
'Jij bent nauwelijks een horde. En bovendien ben je een speciaal geval. Jou krijg ik niet weg. Ik had nog speciaal een naaktslak in mijn oor gedaan, maar hij wilde niet blijven zitten. Hij kruipt hier ergens over de vloer. Waarschijnlijk sta je erop.'
Maar daar trapt Valentina niet in. Ze kent Job en zijn geintjes al wat langer dan vandaag. En ze begrijpt zelf niet waarom ze zoveel met hem omgaat. Want hij ziet er niet uit en hij hangt altijd maar voor die computer ... Maar je kunt wél met hem lachen.
'Wat is het GPA,' vraagt Valentina nog een keer.
'Het Groot Poema Archief,' zegt Job gewichtig. 'Ik heb besloten dat ik deze zaak ga oplossen. Die onzin heeft nu wel lang genoeg geduurd. Als ik alle informatie heb verzameld, moet het een eitje wezen om het mysterie te ontrafelen.'
'Je kunt beter jezelf ontrafelen,' zegt Valentina toonloos.
Wat moet ze hier nou weer mee? Eerst de krant en het journaal, en nu gaat Job er ook nog serieus werk van maken. Het loopt allemaal uit de hand en Valentina heeft geen idee wat ze eraan doen kan.
'Moet je die broek van je zien,' zegt ze snel.
Job lacht.
'Geen tijd,' zegt hij. 'En geen zin. Wil je het GPA bekijken?'
Valentina knikt.
'Even dan,' zegt ze. 'Ik wil nog naar het bos voordat het donker wordt.'
Job draait zich weer naar de computer en tovert een beginscherm tevoorschijn. Het ziet er mooi en kleurrijk uit, met afbeeldingen van poema's in alle soorten en maten. Na een paar tellen verschijnt er een tekst: *Een carnivoor op de Veluwe. Het*

Groot Poema Archief van Job Frederikstad.

'Indrukwekkend,' zegt Valentina.

'Dit is nog maar het begin,' zegt Job.

Hij klikt weer een paar keer en er verschijnen lijsten in beeld, namen van bestanden met de datum erachter. Bovenaan staat *Achtuurjournaal van 23 juni*. Daar was Job dus net mee bezig.

'Je weet niet half hoeveel er over dat beest geschreven wordt,' zegt hij. 'Internet staat er helemaal vol mee.'

'Vol met komkommers,' mompelt Valentina, in een poging nonchalant over te komen.

'Ik ben dol op komkommers,' zegt Job. 'De enige groente die ik eet. En gele paprika's. Rauw en in reepjes.'

'Walgelijk,' zegt Valentina. 'Ik weet niet wat ik hier doe.'

'Naaktslakken doodtrappen,' zegt Job.

Onwillekeurig tilt Valentina haar voet op. Onder de zool van haar teenslipper kleeft een glibberige, bruingele brei.

'Bah!' roept ze.

'Je moet me altijd geloven,' zegt Job. 'Ik lieg nooit.'

Hij scrolt naar beneden door de lijst met titels tot de cursor op *Het beest gespot* staat. Job dubbelklikt.

'Deze is ook leuk,' zegt hij.

Harderwijk
22 juni
Leuvenumse bos
21 juni
20 juni
18 juni
Ermelo
GPA
Ermelose heide
21 juni
16 juni
Het Boshuis
Putten
Speulderbos
19 juni
Garderen
't Sol
22 juni
22 juni
21 juni
20 juni
Stroe

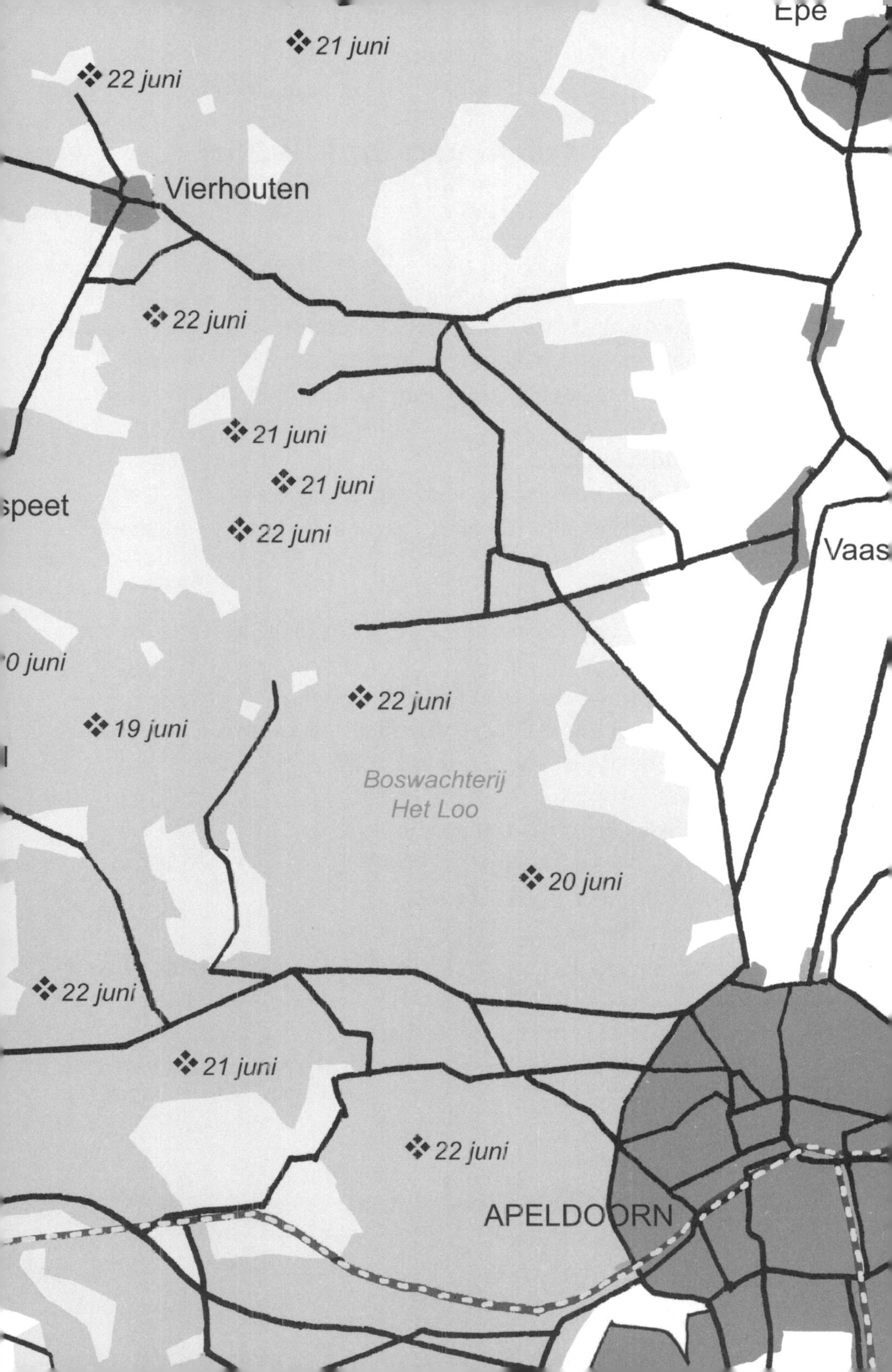
Epe
21 juni
22 juni
Vierhouten
22 juni
21 juni
21 juni
speet
22 juni
Vaas
0 juni
22 juni
19 juni
Boswachterij
Het Loo
20 juni
22 juni
21 juni
22 juni
APELDOORN

4 In de stilte van het woud

Er hangt een dunne nevel tussen de kromme bomen van het Speulderbos, maar koud is het niet. De zon staat laag aan de horizon en maakt zich op om in het IJsselmeer te duiken.

'Dit is het mooiste moment van de dag,' fluistert Valentina.

'Ik zou het niet weten,' zegt Job. 'Ik ben meestal binnen om deze tijd.'

'Jij zit altijd binnen.'

'Binnen is het mooiste moment van de dag ...'

Opeens verstijft Job. Hij tuurt naar iets in de verte, tussen de dichte struiken.

'Wat zit daar?' sist hij.

'Everzwijn,' zegt Valentina rustig. 'Niet te dichtbij komen, ze heeft jonkies.'

'Een everzwijn? Hoe weet je dat nou?'

'Jij zit te veel binnen,' zegt Valentina. 'Je kunt toch horen dat het een everzwijn is? En ik ruik het ook.'

'Ruiken?!'

Valentina lacht en tikt Job op zijn neus.

'Daarmee. Varkensluchtje.'

'Noem je mij een varkensluchtje?'

'Wil je edelherten zien?' vraagt Valentina.

'Ik wil eigenlijk naar huis,' zegt Job. 'Het wordt straks donker.'

Valentina kijkt hem nauwlettend aan.

'Jij bent bang hè,' zegt ze dan. 'Bang voor het bos.'

'Welnee!' roept Job.

'Bang voor de poema ...'

'Nou ja ...'

'En jij zegt dat de poema niet bestaat.'

'Nee, oké,' zegt Job. 'Als ik binnen zit, geloof ik er ook niet in. Maar hier zo in de mist, in de schemering ... Wanneer jagen poema's eigenlijk?'

'Ik weet het niet,' zegt Valentina. 'Over de dieren die hier leven, kan ik je alles vertellen. Maar de poema hoort daar niet bij.'

'Weet je dat zeker?'

Valentina voelt dat ze rood wordt. Wat zou het prettig zijn om alles uit te leggen, hier, in het bos waar het allemaal gebeurd is. Maar dat kan ze nog niet. Niet aan Job, aan niemand. Nu nog niet. Het is te groot geworden, te belangrijk. Ze zou niet weten hoe ze moest beginnen, ze schaamt zich er te erg voor.

'Poema's horen niet thuis op de Veluwe,' zegt ze zwakjes. 'Vossen en dassen wel.'

'Maar al die mensen zijn toch niet gek?' vraagt Job. 'Drieëntwintig stippen heb ik op mijn kaart staan. Ik bedoel, dat is toch geen toeval meer?'

'Het is ook geen toeval,' zegt Valentina langzaam. 'Het is een komkommer. Weet je nog?'

Job lacht niet. Hij huivert en kijkt om zich heen.

'Laten we naar huis gaan,' zegt hij.

Valentina ergert zich opeens aan hem. Waarom kan hij niet van het bos genieten, zoals zij? Ze heeft nog nooit een jongen meegenomen naar haar lievelingsplek. Hij kan toch in elk geval net doen alsof hij het bijzonder vindt?

'Ik hou van dit bos,' zegt ze met nadruk.

Job draait zich om en bekijkt haar aandachtig.

'Heb je me daarom meegenomen?' vraagt hij. 'Om het bos te laten zien?'

'Ja,' zegt Valentina. 'Nee. Ook. Ik weet het niet.'

'Je moet het eerlijk zeggen,' zegt Job. 'Ben jij verliefd op mij?'

Valentina's hart slaat een keer over en ze hapt naar adem. Wat is dat nou weer voor vraag! Zoiets zeg je niet! Hoe haalt hij het in zijn hoofd, met die rare bril en die koekkruimels! Ze moet iets zeggen nu, iets scherps en gemeens. Maar er komt niets in haar op ...

'Gek!' brult ze.

Ze geeft Job een duw zodat hij ruggelings op het mos terechtkomt. Dan draait ze zich om en rent terug naar hun fietsen, die aan de rand van het bos tegen een boom staan. Met onverwachte kracht tilt ze Jobs afgetrapte mountainbike op en slingert hem een paar meter opzij in de struiken. Nu kan ze haar eigen fiets van het slot halen. Zonder om te kijken rijdt ze weg.

'Hé!' hoort ze achter zich. 'Laat me niet alleen hier, Valentijntje! Wacht nou even, het spijt me!'

Maar Valentina is snel, binnen een paar minuten rijdt ze al op het fietspad langs de Drieërweg. Ze houdt de trappers stil en kijkt over haar schouder. Van Job is geen spoor te bekennen.

Misschien is hij wel opgegeten door de poema, denkt Valentina. Dat zou geweldig zijn. Eigen schuld.

- Dinsdag 19 juni -

Eindelijk een beetje gewoon, vandaag, Nou ja ... Ik had natuurlijk wel die presentatie met Marieke en we hadden ons dus niet echt helemaal goed voorbereid ... Helemaal niet, eigenlijk.
Dat komt door haar gezeur en dom geglimlach. Door die meidendingen die ik dus haat. En daarbij komt dat dinosaurussen mij helemaal niet interesseren. Ik heb meer met échte dieren, of hoe zeg je dat: levende dieren. Die nu nog steeds leven, dus.
We hebben gewoon die printjes van Job staan voorlezen. Ofhakkelen, want dat was het eigenlijk. Volgens mij heeft niemand in de klas er iets van gesnapt. En al die namen ook: velociraptor, triceratops ...
Marieke kreeg zo'n rooie kop dat het leek of hij eraf zou knallen. Dat was net goed, maar ik had ook wel medelijden. Ik weet wat het is, een rooie kop.
Maar voor de klas had ik er in elk geval geen last van, vandaag. Ook al kregen we dus een dikke onvoldoende en moeten we het volgende maand overdoen. Nou ja, meester had wel gelijk. Iets van internet voorlezen is niet echt een presentatie.
Maar ik kan me er niet druk om maken.
Ik heb wel wat anders aan mijn hoofd!

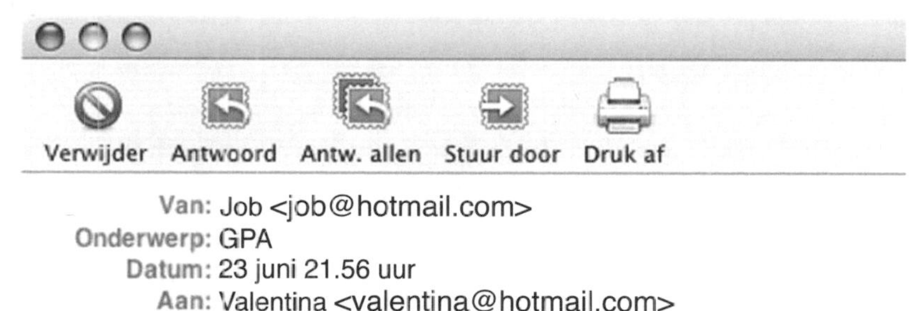

Van: Job <job@hotmail.com>
Onderwerp: GPA
Datum: 23 juni 21.56 uur
Aan: Valentina <valentina@hotmail.com>
Antwoord aan:

Hé Malleval,

Ik zei gewoon iets stoms, oké?
Ik dacht het gewoon, maar ik wou je niet kwaad maken. Ik heb geen verstand van die dingen.
Wil je nog wel helpen met het GPA? Omdat jij dus alles van de natuur weet?
Zou je om te beginnen kunnen uitzoeken wie de eerste was die dat beest gezien heeft? De eerste die ik op mijn kaart heb, is die boswachter. Maar die had het weer van een ander, geloof ik.
Ken jij die man?

Jobbert

PS. Is het nou zo? (Grapje)

5 Nacht

Valentina mailt niet terug. Ze heeft zelfs nauwelijks fut om in haar dagboek te schrijven. Te moe, en vooral te verward. Want nu ze niet meer boos is (wie kan lang boos blijven op Job?), is ze begonnen met nadenken.

Is ze echt verliefd? Op die nerd met zijn vieze nagels en zijn stinkkamertje? Ze zoekt hem wel heel vaak op, de laatste tijd. Het is net of hij een magneet in zijn broekzak heeft zitten, een Valentinamagneet. Dat betekent toch iets? Maar Valentina is nog nooit verliefd geweest en ze weet niet wat ze dan zou moeten voelen.

Ze heeft er net zo weinig verstand van als Job ...

En wat moet ze met haar geheim aan? Het zou fijn zijn om het met iemand te delen. En dat zou dan Job moeten zijn. Met zijn GPA. Als hij wist wat Valentina weet, kon hij die hele database meteen deleten. Een hele dag werk voor niks. Geen goed begin voor een relatie.

Maar het is eigenlijk zijn eigen schuld. Als hij beter op de tijd had gelet, als hij niet zo nodig dat filmpje met die zingende president had willen laten zien, op die stomme site. Als, als, als ... Als de hemel naar beneden valt, zijn alle komkommers blauw.

Valentina leest het mailtje nog een keer.

'Is het nou zo, grapje,' fluistert ze.

Ja, het is zo. Geen grapje. En als het niet zo is, is het iets anders. En dat is even erg. Valentina merkt dat ze een rood hoofd krijgt, gewoon, op haar eigen kamer. Met niemand in de buurt. Een ordinair rood hoofd.

'Ga jij zo langzamerhand eens slapen, Vaaltje,' brult haar vader van beneden.

Valentina poetst haar tanden en trekt haar roze T-shirt aan.

Vanuit haar bed kijkt ze naar de toppen van de bomen die zachtjes wiegen in de avondwind. Er staat een volle maan boven het bos. Zou Job die ook zien? Of zit hij weer naar zijn beeldscherm te turen vanavond? Het zou mooi zijn om nu met hem door het bos te dwalen, in het zilveren licht. Jonge vosjes zien spelen voor hun hol, of de dassen te bespieden.

Maar ze krijgt Job niet mee, dat weet Valentina wel. Daar is hij te bang voor. Veel mensen zijn bang in een nachtelijk bos. Waarvoor eigenlijk? Voor de geesten uit de grafheuvels? Voor wilde dieren? Voor komkommers?

Valentina glimlacht even. Job in de maneschijn, denkt ze nog.

En dan valt ze in slaap.

Poema of geen poema

De vermeende poema in de bossen rond ons dorp blijft de gemoederen bezighouden. De afgelopen paar dagen zijn er minstens vijftien mensen geweest die het dier menen te hebben gezien. De beschrijvingen die zij geven, verschillen nogal van elkaar. Zo had een 40-jarige man uit Harderwijk het over een 'groot zwart beest met vurige ogen', terwijl een 18-jarige plaatsgenoot sprak van een 'soort huiskat, maar dan wel wat groter dan normaal en met een lichte vacht'. Er zijn geen meldingen van agressief gedrag; het dier, wat het dan ook is, schijnt vooral erg schuw te zijn en mensen liever te ontwijken.
Een roofdierdeskundige van de dierentuin in Arnhem heeft verklaard dat hij moeilijk kan geloven dat het om een poema gaat. "Dat zou dan een ontsnapt exemplaar moeten zijn," zei hij. "En er is geen dierentuin die melding heeft gemaakt van een vermissing. Voor een gewoon mens is het bijna ondoenlijk om een poema als huisdier te hebben, dus daar geloof ik ook niet in. Als het inderdaad om een roofdier gaat, geloof ik nog eerder dat het een lynx is die vanuit Oost-Europa hier terechtgekomen is. In Duitsland gebeurt dat de laatste tijd regelmatig."
Lynxen zijn inderdaad erg schuw en bijna nooit gevaarlijk voor de mens. "Maar als het dier in paniek raakt, kan dat anders worden," waarschuwt de deskundige. "Het spreekwoord luidt: Een kat in het nauw maakt rare sprongen."
Wandelaars wordt geadviseerd op de paden te blijven en vooral niet dichterbij te komen als ze een vreemd dier in het bos zien.

Het wachten is overigens op de eerste goede foto- of filmbeelden die uitsluitsel kunnen geven over de vraag of er werkelijk een roofdier rondsluipt in onze bossen, en welk roofdier dat dan precies is. Tot die tijd is het misschien verstandig alle verhalen met een korreltje zout te nemen.
Ook de gemeente doet dat. "Zolang er niets is bewezen, hoeven wij geen extra maatregelen te treffen," aldus een woordvoerder. "Maar ondertussen merken we wel dat het aantal bezoekers aan ons mooie dorp stijgt. Blijkbaar zijn veel mensen nieuwsgierig en willen ze de zogenaamde poema met eigen ogen zien. Daar profiteert de horeca weer van, waar we natuurlijk erg content mee zijn."
En zo blijkt een dier dat misschien niet eens bestaat, toch nog ergens goed voor te zijn. Misschien een ideetje voor volgend jaar: een krokodil in het Uddelermeer?

Uit: de Oprechte Ermelosche Courant
van vrijdag 22 juni

6 Boswachters-Engels

'Wel handig, zo'n archief,' zegt Valentina.

'En compleet, hè,' zegt Job trots.

'Maar heb je het raadsel al opgelost?'

'Eigenlijk niet. Dat beest lijkt wel overal tegelijk te zijn.'

'Zoals Sinterklaas,' zegt Valentina.

'In Zeeland hadden ze er ook eentje,' zegt Job. 'Vorig jaar. Daar heb ik even een subarchiefje van aangelegd.'

Ja, dat is waar, denkt Valentina. Vorig jaar was er een poema gezien in Zeeuws-Vlaanderen.

'Ik wilde eigenlijk vanmiddag naar die boswachter,' zegt Job. 'Als ik de bron van dit verhaal weet, kom ik misschien verder.'

Valentina schrikt. Als Job de boswachter opzoekt, komt haar geheim meteen uit. En dat is voorlopig niet de bedoeling ...

'Het is zondag,' zegt ze snel. 'Dan heeft hij het altijd razend druk. Het hele bos is vol wandelaars, weet je ...'

'Een praatje kan altijd,' zegt Job. 'Ben je op de fiets?'

Hij schakelt zijn computer uit.

'Moet ik een jas aan? Is het koud?'

Kom toch eens wat vaker buiten, denkt Valentina. Doe je gordijnen open en kijk naar het bos.

'Nee, het is warm,' zegt ze. 'Bijna zomer.'

Job daalt met een paar grote sprongen de trap af. Valentina volgt hem peinzend. Wat moet ze doen? Alles opbiechten? Nee, nog niet. Er is nog tijd ...

'Waar zit die man op zondag?' vraagt Job, terwijl hij zijn fiets uit de schuur haalt.

'Weet ik veel,' zegt Valentina. 'Hij kan overal zijn.'

'Om drie uur haalt hij meestal een kop thee bij mijn vader in de zaak.'

‘En nu is het halfdrie. Mooi, dan gaan we naar jouw huis.’
‘Maar soms ook niet,’ zegt Valentina zwakjes.
‘We wagen het erop,’ zegt Job. ‘Wedstrijdje?’
Daar komt weinig van terecht. Er zijn te veel fietsers op het bospad om echt snel te kunnen rijden. Het valt Valentina op dat veel mensen een camera bij zich hebben.
‘Op fotosafari in Ermelo,’ zegt Job. ‘We worden wereldberoemd.’
Als ze halverwege Valentina’s huis zijn, zien ze een grote groep mensen tussen de stammen. Daar is blijkbaar iets bijzonders aan de hand.
‘Even kijken,’ zegt Job en hij stapt af.
Boven de hoofden van de menigte uit ziet Valentina een grote grijze microfoon aan een stok. Blijkbaar is de televisie opnamen aan het maken. Job heeft het ook door.
‘Een cameraploeg,’ roept hij. ‘Gaaf!’
Ze banen zich een weg door de menigte tot ze zicht hebben op wat er gefilmd wordt. Het blijkt om een interview te gaan – met de boswachter. De journalist is een Amerikaan.
‘So you never saw the beast yourself?’ hoort Valentina hem vragen.
‘No,’ zegt de boswachter. *‘But there was a girl, and there I have it from. She has the beast seen, here in this wood.’*
Job begint te giechelen.
‘Voortreffelijk Engels spreekt die man,’ zegt hij.
Valentina probeert weg te kruipen. Als de boswachter haar nu zou zien ...
‘But can you trust that girl?’ vraagt de journalist.
‘Yes, she knows a whole, eh, bool from beasts.’
Job giert het uit.
‘*A whole bool!* Wat een ongelooflijke sukkel!’
Valentina wordt opeens kwaad.
‘Hij is een boswachter, ja?’ sist ze. ‘Hij hoeft helemaal geen

Engels te kennen. Daar heeft een boswachter niks aan. En hij is toevallig wel heel goed in zijn werk.'

'A whole bool from beasts,' zegt Job nog een keer.

Maar dan stopt zijn gegiechel opeens. Hij kijkt Valentina doordringend aan.

'Hij heeft het dus van een meisje dat heel veel van dieren weet,' zegt hij langzaam. 'En ik ken zo'n meisje ...'

Valentina duikt weg tussen de mensen. Job komt achter haar aan.

'Jij bent het!' roept hij. 'Jij hebt de poema gezien!'

- Woensdag 20 juni -

En ook vandaag bleef het rustig. Geen nieuwe berichten in de krant ... Misschien is het nieuwtje er al weer af. Ik hoop het maar.
In het café wordt het wel steeds drukker. Mijn vader is daar hartstikke blij mee, natuurlijk.
'Als ik wist waar die poema zat, ging ik het beest een lekker groot stuk vlees brengen,' zei hij.
Koos, die altijd aan de bar zit, zei: 'Je bedoelt jezelf?'
Meestal is Koos vervelend, maar dit was wel weer grappig. Daarom heb ik het ook opgeschreven.
Ik zit alleen een beetje in mijn maag met die nieuwe presentatie. Ik heb dus echt geen idee waar dat over zou moeten gaan. Vorig jaar heb ik het al eens over bier gehad, dus dat kan niet meer.
Mijn vader zei dat ik iets over het bos zou moeten vertellen, omdat ik daar bijna altijd zit en ik er heel veel van af weet.
Ik kreeg een rooie kop toen hij dat zei.
Echt, als ik daar voor de klas over zou beginnen, zou ik denken dat iedereen me doorhad, dat ze aan de buitenkant konden zien wat ik wist. Dat kan ik dus niet. Maar daarmee zijn de mogelijkheden wel zo'n beetje op.
Misschien moet ik maar een presentatie houden over twijfelaars. Daar heb ik enorm veel verstand van.

7 Het kruisverhoor

Valentina voelt zich ongemakkelijk. Ze zit op een krukje tegen de zijmuur van Jobs kamer. Hijzelf staat tegenover haar, half gebukt, door de zoeker van een videocamera te kijken.

'Band loopt,' zegt hij.

Hij richt zich op en begint door de kamer te ijsberen. Nou ja, dat probeert hij, want eigenlijk is er te weinig plaats voor. Meer dan een paar pasjes kan hij niet doen. Valentina vindt dat hij zich aanstelt. Het lijkt wel of ze meespeelt in een of andere televisieserie.

'Moet dit?' vraagt ze.

'Absoluut,' zegt Job. 'Zondag vierentwintig juni, vijftien uur zes. Verhoor van Valentina Jacobs voor het Groot Poema Archief.'

'Je bent gek,' zegt Valentina.

'Dat knip ik eruit.'

Valentina haalt haar schouders op.

'Je kunt het uit je film knippen,' zegt ze, 'maar niet uit je hoofd.'

Job is onverstoorbaar.

'Valentina Jacobs, jij hebt de zogenaamde Veluwse poema als eerste gezien. Wanneer was dat?'

Ik moet maar gewoon gaan zitten liegen, denkt Valentina. Maar dan moet ik wel onthouden wat ik allemaal beweer. Job is slim genoeg om me te betrappen als ik mezelf tegenspreek. Zoveel mogelijk de waarheid dus maar ...

'Vorige week zaterdag,' zegt ze.

'Vertel.'

'Ik was bij jou geweest. We hadden die site zitten kijken met die domme filmpjes. Ik ging te laat naar huis. Jouw schuld.'

GPA

Dat doet er niet toe. En toen?'
'Om tijd te winnen sneed ik een stuk af door het bos. Daar mag je niet komen na zonsondergang, maar dit was een noodgeval.'
'En toen zag je de poema?'
'Nee, die zag ik al eerder ...'
Valentina voelt dat ze rood wordt. Alweer! Het is bij de eerste leugen meteen misgegaan. Ze had moeten zeggen dat ze de poema zag toen ze nog langs de weg reed. Zo heeft ze het tenslotte ook aan de boswachter verteld.
'Overnieuw,' zegt ze. 'Ik reed langs de weg, ongeveer bij de camping. Vanuit mijn ooghoek zag ik dat er iets donkers met me meeliep, een meter of twee van het pad tussen de struiken.'
'Zag je wat het was?'
'Nee, maar het was iets vreemds.'
'Hoe bedoel je?'
'Nou, het maakte geen geluid. Dus een hert of een zwijn was het niet. En voor een vos was het veel te groot.'
'Een hond misschien?'
'Dat dacht ik ook. Tot ik de ogen zag.'
Valentina haalde diep adem. Alles onthouden, dacht ze. Geen fouten maken ...
'Roofdierogen. Gele kattenogen, met van die spleetjes.'
'En toen dacht je ...'
'Het beest draaide zich om en verdween in het bos. Toen ben ik erachteraan gegaan.'
'Niet!'
Valentina kleurt alweer.
'Hoe bedoel je?' vraagt ze.
'Dat je dat durfde!' roept Job.
'O, zo,' zegt Valentina met een zenuwachtig lachje.
'Heb je het beest nog een keer gezien?'
'Nee, ik ben het bos helemaal doorgefietst, over de zandweg

daar, tot aan ons huis. Daar kwam ik de boswachter tegen.'

'Wat zei die van je verhaal?'

'Hij was kwaad dat ik ...'

'Kwaad?'

Niet vertellen, denkt Valentina. Dan heeft hij het door. Dit deel van het verhaal overslaan.

'Hij was kwaad dat hij het dier niet zelf had gezien,' zegt ze snel. 'Maar toen ik precies had beschreven wat ik gezien had, zei hij dat het een poema moest zijn.'

'Waarom geen lynx?'

'Te groot.'

'Waarom geen leeuw?'

'Doe niet zo belachelijk.'

'Je hebt dus de schaduw van een grote kat gezien, en de ogen. En de boswachter zei dat het een poema was.'

'Misschien heb ik dat gezegd ...'

'Maar net zei je ...'

Valentina wordt opeens boos. Het is genoeg geweest. Ze wil niet langer als een soort webcammeisje naar die camera zitten staren. En Job moet ophouden met dat gedrentel.

'Ik heb je alles verteld, dus zet dat ding nu maar uit!' roept ze.

'Eén ding weet ik nog niet,' zegt Job rustig. 'Waarom heb je er nooit iets over verteld? Aan mij, of aan je vader?'

Dat is dus de vraag waar Valentina al bang voor was. Ze heeft er geen antwoord op. Tenminste, geen antwoord dat ze nu wil geven.

'Ik dacht, laat de boswachter het verder maar regelen,' zegt ze mat. 'Ik had geen zin in die heisa.'

'Je was er anders wel mooi mee op de tv gekomen,' zegt Job. `En niet alleen in mijn archief. Had je leuk zelf kunnen zeggen dat je *'a whole bool from beasts'* weet.'

'Daarom dus.' zegt Valentina. 'Daar had ik geen zin in.'
Job kijkt haar peinzend aan.
'Ik geloof je niet,' zegt hij dan. 'Je verbergt iets voor me.'
Veel, denkt Valentina. Ik verberg veel voor je. Expres.
'Het verhoor wordt beëindigd,' zegt Job met een serieuze stem. 'Maar we plannen nog wel een extra sessie op een later tijdstip.'
Hij schakelt de camera uit.
'Niks ervan,' zegt Valentina. 'Ik vind het niet leuk en het is wel genoeg zo.'
Job glimlacht.
'Alles in dienst van de waarheidsvinding,' zegt hij.

- Donderdag 21 juni -

Toen ik vanmiddag uit school kwam, stond Omroep Gelderland te filmen bij het café. Ze vroegen de mensen op het terras of ze geloofden dat de poema bestond. De meesten zeiden van niet, maar ze hadden wel allemaal camera's en verrekijkers bij zich.
Ik wilde naar binnen glippen, maar de interviewer hield me tegen.
'Kom jij nu net door het bos gefietst?' vroeg hij.
Ik knikte.
'Durf je dat wel, met die poema die hier rondloopt?'
'Ik durf best,' zei ik.
Het is heel eng om te praten met een camera erbij. Dat is net een groot, zwart oog dat je aanstaart zonder te knipperen. Er staat natuurlijk wel iemand achter, maar die zie je helemaal niet. Alleen dat zwarte oog.
'Heb je de poema gezien?' vroeg de interviewer.
Wat moest ik dáár nou weer op zeggen? Ik haalde mijn schouders op.
'Poema's zijn heel schuw,' mompelde ik, geloof ik.
Vanavond heb ik het nieuws gekeken, maar ze hadden het gesprek met mij eruit geknipt. Er kwamen alleen maar mensen aan het woord die in de poema geloofden. En dat zei die interviewer dus ook.
'U hoort het, iedereen is overtuigd van het bestaan van het beest.'
Dat was dus gelogen, maar ik ben blij dat ik er niet in zat. Want ik had mooi voor gek gestaan op school. Dan had ik geen leven meer gehad.

Ik kon Marieke bijna al hóren wauwelen op het plein.
Dat gaat dus lekker allemaal niet door.

Het Groot Poema Archief

Subdatabase Zeeland

* De Zeeuwse poema was bijna drie maanden in het nieuws, en dook daarna nog een paar keer op in losse berichten.

* Het dier is een paar keer gefotografeerd, maar altijd van grote afstand en onscherp.

* Ooggetuigen gaven nogal verschillende beschrijvingen van het beest (zie ook de berichten in de *Oprechte Ermelosche Courant* en in dit archief).

* De eerste melding kwam van een postbode uit Boerenhol die een nachtje stevig had zitten drinken (de Ermelose film is gemaakt door een stamgast van het café van Valentinus!).

* Een hotel in Turkije (ja, zo heet dat dorpje) kwam al na twee dagen met een 'poema-arrangement': een lang weekend logeren inclusief fiets, verrekijker en wegwerpcameraatje.

* Er zijn nooit pootafdrukken gevonden (in Ermelo ook niet!).

* Gedode kippen, die als bewijs golden, werden bij nader inzien door een vos te pakken genomen.

* Bijna niemand gelooft meer dat er een poema in Zeeuws-Vlaanderen heeft rondgelopen.

* De afstand tussen Zeeuws-Vlaanderen en de Veluwe is te

groot, en er liggen te veel obstakels (rivieren, steden en grote wegen).

* Het kan dus nooit om dezelfde poema gaan.

* Hoewel, als ze allebei niet bestaan, kan het natuurlijk weer wel dezelfde zijn (hahaha, de absurde humor van Jobbeke Frederikstatteke!).

* Aan de Zeeuwse poema hebben we dus eigenlijk niets.

Van: Job <job@hotmail.com>
Onderwerp: poema
Datum: 24 juni 19.46 uur
Aan: Valentina <valentina@hotmail.com>
Antwoord aan:

Hé Van Valensteinemans!

Alles goed daar in de woeste bossen?
Groot nieuws! Mijn vader heeft de poema gezien!
Vanmiddag, bij het Solsche Gat. Nog geen kilometer van waar wij Engelse les kregen van de boswachter!
Maar hij bestaat dus echt. Aan de ogen van mijn vader hoef je echt niet te twijfelen.
Ben je al bijgekomen van mijn verhoor? Ik ga later bij de CIA werken, denk ik.
CU!

xxx Jobberdepop

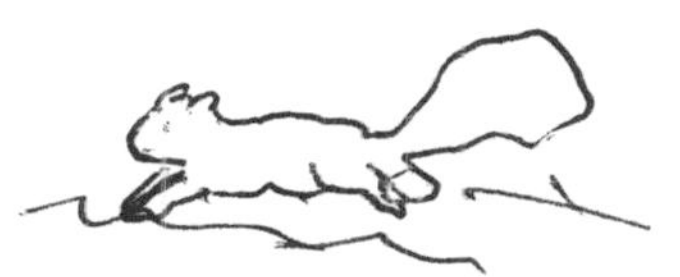

- Vrijdag 22 juni -

Ik heb het nu op Radio Veluwe gehoord. Allemaal mensen met verstand van dieren, die het over de poema hadden. Ze vertelden eigenlijk steeds weer hetzelfde. Dat het niet kon, dat het iets anders moest zijn. En daarna werd er een liedje gedraaid.
Dat liedje was het stomste van alles. Een belachelijke tekst over 'Toe maar, poema' en dat hij in Ermelo in een hol zat. Poema's hebben helemaal geen hol! Maar de mensen op de radio moesten er erg om lachen in elk geval. Dus dan zal het wel ergens goed voor zijn.
Marieke belde. Ze wilde alvast gaan werken aan de nieuwe presentatie. En ze vroeg of ik het ook een goed idee vond om het over poema's te gaan doen.
'Nee,' zei ik.
'Maar jij houdt zo van dieren!'
'Precies,' zei ik. 'Ik hou van dieren. En poema's eten dieren óp.'
Ze kon er niet om lachen. Ze kan eigenlijk nooit ergens om lachen. Maar we moeten die presentatie nou eenmaal samen doen.
'Laten we het maar doen over hoe de radio werkt,' zei ik.
Daar bedoelde ik niks mee, gewoon omdat de radio aanstond. Ik dacht er niet bij na.
'Dat kun je beter met Job doen,' zei ze. 'Die nerd!'
En toen werd ik opeens kwaad. Ze kan zo stom doen als ze zelf wil, dat maakt mij niks uit, maar van Job

blijft ze áf. En dat zei ik ook.
Toen giechelde ze. En daar werd ik nog kwader van.
'Zoek maar iemand anders voor die presentatie,' zei ik. 'Ik wil niet meer met jou.'
Toen hing ze op. Ik moet het maandag maar aan meester uitleggen.

8 Gesprek met Gerrit

Valentina kan Job wel schieten, met zijn geintjes en zijn vader met goede ogen. Het is echt even helemaal over.

Boos stampt ze het volle café door en haalt haar fiets uit de schuur. Ze wil naar het Solsche Gat, om met eigen ogen te zien dat er niets te zien is. Ze wil Gerrit spreken, als dat lukt. Maar vooral wil ze in het bos zijn, alleen, in de stilte.

Het is rustig op de zandpaden. Iedereen zit thuis naar de televisie te kijken, of drinkt nog wat in de tuin. Een prachtige zomeravond is het, ook al moet de eigenlijke zomer nog beginnen.

Valentina wordt er rustiger van. Voor ze het weet, is ze de grafheuvels al voorbij en zet ze haar fiets tegen een dikke boom aan de rand van het Solsche Gat. Ze weet bijna zeker dat ze de boswachter hier zal vinden. Hij trekt elke melding over de poema na.

'Valentina!' hoort ze diep beneden zich.

Ze laat zich naar beneden zakken, tot ze op de bodem van de grote zandkuil staat. Gerrit scharrelt wat verderop, tussen de bosjes. Valentina loopt naar hem toe.

'Heb je me gezien?' vraagt hij. 'Ik was op CNN.'

'Ja, ik heb het gezien.'

'En helemaal in het Engels,' zegt Gerrit trots. 'Ik ben daar eigenlijk niet goed in, maar het ging bijna vanzelf.'

'Hartstikke knap.'

'Die poema is wereldnieuws geworden. Had jij dat verwacht?'

Nee, Valentina had het niet verwacht. En ze vindt het niet leuk ook.

'En als het nou niet waar is,' zegt ze zachtjes.

'Hoe kun je dat nou zeggen?'

'Nou ja ... Mensen kunnen zich vergissen.'

Gerrit kijkt haar even zwijgend aan.

'Ja, er zijn wat rare dingen. Bijvoorbeeld dat het beest zo'n beetje overal tegelijk schijnt te zijn ... Nu hoorde ik weer dat hij hier gezien is, vanmiddag ...'

'Ja, dat hoorde ik ook.'

'Maar bij Putten is hij ook gezien. Twee keer zelfs. En in Garderen is een dode kip gevonden. Er was zelfs iemand in Dolfinarium Harderwijk die belde.'

'Zwom daar een poema rond?' vraagt Valentina. 'Tussen de dolfijnen en de zeeleeuwen?'

'Nee, hij zwierf op de parkeerplaats.'

'Dat kan niet!'

'Nee, dat kan niet,' zegt Gerrit met een zucht. 'Daar is zo'n beest veel te schuw voor. Maar ze bellen toch.'

'Ze verzinnen het gewoon.'

'Misschien wel. Sommigen wel. Maar we hebben die film ...'

'Op die film is niks te zien!'

'Jawel, jawel!' roept Gerrit. 'Het is niet duidelijk, maar het is een grote kat. Dat zie je aan de bewegingen. Absoluut katachtig. En aan de struiken kun je zien hoe groot hij is. Alleen ...'

'Wat?' vraagt Valentina.

'Nou, ik heb die Koos gevraagd waar hij precies stond, toen hij die opname maakte. Dat wist hij niet meer. "Ergens in het Speulderbos," zei hij alleen. Maar zie jij de dansende bomen? Ik bedoel, die zou je toch meteen moeten herkennen. Het Speulderbos is juist beroemd om die scheefgegroeide en verdraaide stammen. Misschien was het ergens aan de rand, anders weet ik het ook niet.'

'Koos moet je niet geloven,' zegt Valentina.

'Misschien niet. Ik wou dat ik een spoor vond, dan wist ik het absoluut zeker.'

Valentina dwaalt over de bodem van het Solsche Gat. Ik kan het nu vertellen, denkt ze. Dan is het maar meteen over ook. Maar ze doet het niet.

Waarom toch niet? Heeft dat te maken met Job? Op de een of andere manier wel. Maar het is te ingewikkeld. Het is een grote knoop in haar hoofd.

'Help je mee zoeken?' vraagt Gerrit. 'Jij weet genoeg van dieren om het spoor van een kat te herkennen.'

Ja, ik weet *'a whole bool'*, denkt Valentina. En dan neemt ze een besluit.

Het filmpje van Koos is het enige bewijs. Als ze ervoor kan zorgen dat hij wordt ontmaskerd, is het verhaal de wereld uit. Dan kan ze schoon schip maken. Ook wat Job aangaat. Als dat GPA van hem gesloten is, kunnen ze weer normaal met elkaar omgaan.

'Dag Gerrit,' zegt ze. 'Ik moet nog iets doen.'

'Ook goed,' zegt de boswachter. 'Maar wees nog wel voorzichtig, onderweg.'

Dan krult zijn mond zich tot een brede grijns en hij heft zijn hand op.

'*See you,*' zegt hij.

'See you later, alligator,' zegt Valentina met een lach.

Een krokodil in het Uddelermeer, denkt ze. Het is een idee.

Op de terugweg naar het café voelt ze zich lichter. Het is alsof het hele bos haar toelacht. De bomen fluisteren dat ze moet doorzetten, dat ze sterk moet zijn.

'Het komt goed,' mompelt Valentina voor zich uit. 'Het is geen ramp, er zijn geen gewonden.'

Thuisgekomen kwakt ze haar fiets in de schuur en stapt het café binnen. Het is er nog steeds druk. Aan alle tafeltjes zitten wandelaars met rode koppen. En óp alle tafeltjes liggen camera's in alle soorten en maten.

Valentina vangt flarden van gesprekken op. Zo te horen heeft niemand de poema in het vizier gekregen.

Natuurlijk niet. Dat kan ook niet.

Koos zit aan zijn vaste tafeltje. Zo te zien heeft hij al aardig wat borreltjes gedronken. Des te beter. Drank maakt mensen loslippig. Als dochter van een cafébaas weet Valentina dat heel goed.

'Wat is er met jou, Vaaltje?' vraagt haar vader terwijl hij een glas cola inschenkt. 'Je ziet er zo gelukkig uit!'

Gelukkig? denkt Valentina. Ja, misschien wel. Of opgelucht, dat kan ook.

Ze pakt een lege stoel en wurmt die met wat moeite op de plek tegenover Koos. Hij kijkt verbaasd op.

'Kom je me gezelschap houden, meisje?' vraagt hij.

'Absoluut,' zegt Valentina grimmig. 'En het wordt vast ontzettend gezellig ...'

Haar vader zet de tv aan.

P501

NOS - TT 501 zondag 24 juni 12:53:31

NOS

TWIJFEL AAN FILMBEELDEN BOMAANSLAG

■ Diverse bronnen hebben kanttekeningen geplaatst bij de beelden die gisteren via verschillende media zijn verspreid. De aangrijpende beelden van de gevolgen van een bomaanslag in Delhi zouden niet recent zijn, maar betrekking hebben op een soortgelijke aanslag een aantal jaren geleden.
Het is niet duidelijk wie verantwoordelijk is voor deze misleiding, als daarvan al sprake is. Persbureau Reuters, dat de beelden oorspronkelijk verspreidde, stelt in een verklaring te goeder trouw te hebben gehandeld. Men had geen aanleiding gezien de authenticiteit van de beelden in twijfel te trekken.
De Indiase autoriteiten onthouden zich vooralsnog van commentaar.

Volgende nieuw agenda index

- Zaterdag 23 juni -

Het moet niet gekker worden: Job heeft een archief! Ik ging er vanavond even heen, na het journaal, en toen heeft hij het laten zien. Het ziet er echt goed uit.

Ik weet alleen niet zeker of hij nou in de poema gelooft of niet. In het bos wél. Hij was gewoon bang, en dat was grappig. Maar thuis, achter zijn dichte gordijnen, twijfelt hij. Hij is niet gek, natuurlijk.

Het was wel raar om het journaal te zien. Ik kreeg er een beetje de bibbers van. Gelukkig maakte de nieuwslezer een grapje over komkommers, helemaal geen leuk grapje, dus toen ging het weer over andere dingen. Dat was prettig. Maar het wordt wel een heel groot verhaal, nu. Ik voel me er steeds ongemakkelijker bij ...

Waarom houdt Job niet net zoveel van het bos als ik? Wat is er mooier dan mist tussen de stammen, dauw op het mos, spinnenwebben vol pareltjes in het struikgewas? Waarom kan hij niet een uurtje naar de vossen kijken, of rustig wachten op een das? Waarom moet het altijd binnen zijn, met de gordijnen dicht en een flikkerend beeldscherm?

Soms denk ik dat ik in een vorig leven een jager ben geweest. Niet met een geweer, maar met een pijl en boog of een speer. Zo'n man die alleen met een lendendoek aan als een schaduw door het bos gleed, onhoorbaar voor het wild. Zo'n man die Beer heette, of Valk.

En wat was Job dan, in die tijd? Een tovenaar misschien, met everzwijnentanden om zijn nek en een hertengewei op zijn hoofd. De hele dag in een stinkende tent van dierenhuiden bezig met vieze drankjes en dat soort troep.

De jagers zouden om hem lachen en hem een lafaard

noemen. Overdag, als ze rustten in het woud. Maar 's nachts, stiekem, zouden ze wel bij hem langsgaan om zalfjes voor hun wonden en drankjes voor kracht en moed. En die zou de tovenaar hun ook gegeven hebben.

Want ze hadden elkaar nodig, vroeger. De jagers, de dansers, de tovenaars. En het is nu nog steeds zo. Er moeten mensen buiten zijn, en er moeten mensen achter de computer zitten. Wat Job doet, is hartstikke nuttig. Natuurlijk, dat weet ik ook wel. Alleen jammer dat hij het is, die het doet. Het was gezelliger geweest als het iemand anders zou zijn.

Marieke bijvoorbeeld.

9 Ocelot of pardelkat

‘Nou wil ik het weten,’ zegt Valentina.

Koos kijkt op van zijn borrelglas. Zijn ogen staan wat wazig.

‘Wat wil je weten?’

‘Van dat filmpje.’

Koos knikt en drinkt de laatste slok op.

‘Mooi filmpje,’ zegt hij droog.

Hij houdt zijn lege glas omhoog. Valentina’s vader schenkt hem nog eens in.

‘Maar het is niet echt,’ zegt Valentina.

‘Natuurlijk is het echt! Je hebt het toch gezien?’

‘Dat kan niet,’ houdt Valentina vol.

‘Gerard, haal die dochter eens weg, ze begint me te vervelen.’

‘Valentina ...’ begint haar vader.

‘Ik wil gewoon iets van hem weten,’ zegt Valentina.

‘Maar ik wil niet dat je mijn klanten lastigvalt.’

‘Het is al goed, Gerard,’ zegt Koos met een klein lachje. ‘Ik ben gewoon niet meer gewend aan vrouwelijke aandacht.’

‘Hou je in,’ mompelt Valentina’s vader nog.

‘Dus, meisje,’ zegt Koos, ‘wat wil je nou eigenlijk allemaal van me weten?’

‘Ik wil gewoon weten wat je gefilmd hebt,’ zegt Valentina boos. ‘En wáár je dat gefilmd hebt ...’

Koos knijpt zijn ogen tot spleetjes en kijkt Valentina lang aan. Hij zet het bijgevulde glas aan zijn lippen. Dan glimlacht hij opeens breed, een grijns die over zijn hele gezicht trekt. Als een scheur door het ijs. Hij wenkt Valentina om dichterbij te komen. Ze brengt haar oor bij zijn mond. Er hangt een weeë dranklucht om hem heen.

‘Ocelot,’ zegt hij dan. ‘Brazilië.’

‘Osewát?’ vraagt Valentina.

‘Ocelot,’ herhaalt Koos. ‘Of pardelkat. Felis pardelis of zoiets. Katachtige van de Zuid-Amerikaanse bosranden. Zelf gefilmd, vorig jaar.’

‘In Brazilië?’

‘Inderdaad.’

Zie je wel! denkt Valentina. Allemaal onzin dus. Koos heeft de zaak gewoon belazerd. Voor geld.

‘Zakdoekje leggen, niemand zeggen,’ zegt Koos.

‘Bedrieger!’ fluistert Valentina.

‘Dat valt wel mee,’ zegt Koos. `Ik heb tegen die lui van de televisie gezegd dat ik een filmpje had van een katachtig beest in het bos. En dat ik het zelf had opgenomen, met mijn telefoontje. Daar is geen woord van gelogen, toch?’

‘Nee, maar ...’

‘Ik heb er alleen niet bij gezegd dat het in Brazilië was, en vorig jaar. En daar hebben ze ook niet naar gevraagd. Ze wilden het hartstikke graag geloven. Was toch ook een mooi filmpje? De hele wereld heeft het gezien. Misschien zelfs in Brazilië ...’

Valentina wordt misselijk van Koos’ adem in haar gezicht. Ze staat op van haar stoel.

‘Hé, dit blijft onder ons, toch?’ lispelt Koos.

‘Wat zit je met mijn meisje te smoezen, Koos?’ vraagt Valentina’s vader.

‘Niks,’ zegt Koos. ‘Gewoon, vrouwenzaken.’

‘Is hij vervelend, Vaaltje? Zeg het maar, ik zet hem zo buiten de deur ...’

‘Hij is ontzettend vervelend,’ zegt Valentina vrolijk. ‘Maar niet tegen mij.’

‘Je kan mij niet buiten de deur zetten, Gerard,’ zegt Koos met dikke tong. ‘Dan ben je de helft van je omzet kwijt.’

‘Als jij nou eens wat verder keek dan je borrelglas,’ zegt Valentina’s vader, ‘dan zag je dat ik een afgeladen zaak heb.

Dankzij jouw poemafilmpje.'

'Dus,' zegt Koos tevreden. 'Dat bedoel ik, Valentina. Dat bedoel ik.'

'Wees maar niet bang,' zegt Valentina.

Ze heeft allang besloten dat ze Koos niet gaat verraden. Daar gaat het helemaal niet om. En bovendien is ze in een veel te goed humeur. Ze is blij dat ze zekerheid heeft. Nu kan er aan die hele ellende tenminste een eind komen.

Er is maar één voordeel aan die poema. Haar vader heeft de laatste dagen erg veel verdiend. Als straks de waarheid boven tafel komt, is dat afgelopen. Ze zou nog best een paar dagen kunnen wachten, misschien ...

Maar nee. Het heeft al veel te lang geduurd. Valentina gaat er een eind aan maken. En het is het beste om te beginnen bij het begin.

Bij Job.

Morgen, neemt ze zich voor, gaat ze hem alles vertellen.

Maar maandagochtend, op school, doet Valentina haar mond niet open. Ze ontwijkt Job vooral, en ze ontwijkt Marieke. Meester zeurt over poema's en gevaar in de bossen en Valentina piekert. Alle dappere beslissingen van zondagavond zijn verdwenen.

Het is een verloren dag.

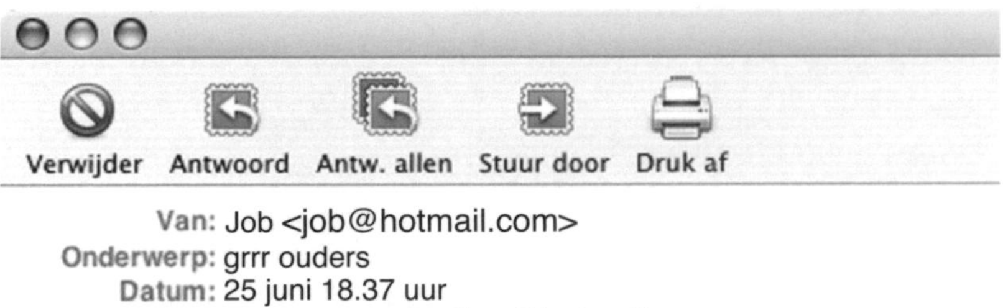

Van: Job <job@hotmail.com>
Onderwerp: grrr ouders
Datum: 25 juni 18.37 uur
Aan: Valentina <valentina@hotmail.com>
Antwoord aan:

Mijn Vallende Ster,

Heb ik net het hele verhaal van mijn vader in het GPA gezet, komt-ie naar boven om te zeggen dat het een geintje was.
'Je was er zo mee bezig, ik wou je gewoon even pesten,' zegt-ie.
Erg is dat, als je je ouders niet meer vertrouwen kunt.
Ik heb zin om zingende presidenten te bekijken.
Kom je naar me toe?

Jobbelien

PS. Ik vond het een rare dag vandaag, op school. Ik hoop niet dat je boos bent om gisteren. Waarom zei je nou niks?

Van: Valentina <valentina@hotmail.com>
Onderwerp: antw. : grrr ouders
Datum: 25 juni 20.34 uur
Aan: Job <job@hotmail.com>
Antwoord aan:

Jopsietopsieland!

Sorry dat ik zo laat terugmail.
(Ik was met mijn dagboek bezig.)
En over vanochtend: ik wist gewoon niet wat ik moest zeggen.
Maar nu wel.
Ik moet je iets vertellen.
En ík heb zin om met jou naar het bos te gaan.
(Net als Hans en Grietje.)
Niet nu, het is te laat, maar morgen.
Ik heb je heel veel te vertellen.
(Niet over Hans en Grietje.)
(Of toch ook een beetje wel.)
Ga je morgen mee?
Om vijf uur wacht ik op je bij het fietspad.
Om vijf uur stipt!

Vallekeballeke

PS. Ik was niet boos. Ik vertel het je nog wel. (Dat is drie keer vertellen in één mailtje ...)

- Zondag 24 juni -

Wat denkt hij wel!
Elke keer als ik eraan denk, word ik weer kwaad. Job gelooft zeker dat hij heel bijzonder is of zo. Dat hij de baas over mij is.
Nou, mooi niet!
Dan kan hij nog zo grappig wezen, en slim, en bijzonder en niet saai en dat soort dingen, maar hij is niet de baas over mij. Dat is niemand.
Ik ga gewoon niet meer naar hem toe.
Nee, dat kan ook niet.
Ik ga gewoon ... Ik weet niet wat ik ga. Hij brengt me helemaal in de war en daar houd ik niet van.
Vanavond was het op tv, bij CNN. Amerika! Ze hadden het over 'Iermeloe' en 'De Vieloewie'. En Gerrit kwam voorbij met zijn 'whole bool from beasts'. Het hele café lag in een deuk. Papa zat natuurlijk weer het hardste te lachen.
'Weet je,' zei hij, 'hoe meer ik erover hoor, hoe minder ik erin geloof.'
Koos was er ook en die begon weer over dat filmpje van hem, met die donkere vlek.
'Ach,' zei mijn vader, 'toen je in Brazilië geweest was, had je ook van die rare foto's bij je. Dan had je zogenaamd Pele op straat gefotografeerd, of Ronaldinho. Maar het waren altijd gewoon dikke kerels in een voetbalshirtje. Dus wat we van jouw filmpje moeten geloven ...'
En toen begon de sport en iedereen was weer stil.
Misschien, bedenk ik me nu, moet Job die Koos eens aan zo'n kruisverhoor onderwerpen. Daar heb je volgens mij meer aan dan mij een potje te zitten treiteren. Zal ik dat even aan hem mailen?

Nee, dat doe ik niet. Ik laat meneer lekker gaarkoken. Ik meld me wel weer als ik niet meer boos ben. En dat kan nog wel een hele tijd duren ...
Ik schaam me kapot.
Ik weet niet waarom. Ik heb het idee dat iedereen naar me kijkt. Dat iedereen me doorheeft. En als het straks allemaal uitkomt, want natuurlijk komt het uit, gaat iedereen wéér naar me kijken. Met andere ogen. Dan ben ik anders.
Job vooral, Job die nooit liegt.
Ik schaam me gewoon.
Om alles.
Maar dat geeft hem nog niet het recht om mij zo te behandelen. Of om van die stomme mailtjes te sturen.
Nou ja.

10 Wilde konijnen

Job is precies op tijd.
Hij is zelfs een paar minuten te vroeg.
'Goed zo,' zegt Valentina. 'Ik ben blij dat je naar mijn bevelen luistert.'
'Ik had toch niks te doen,' zegt Job. 'Internet ligt eruit bij ons. Al twee dagen.'
'Ha!' zegt Valentina. 'En hoe heb je mijn mailtje dan gelezen?'
'Welk mailtje?' vraagt Job.
Valentina kijkt hem aan. Staat hij nou gewoon toneel te spelen, of hoe zit dat?
'Ik had je gemaild,' zegt ze onzeker.
Job begint te lachen.
'Weet ik toch,' zegt hij. 'En ik had jou eerst gemaild, sukkel. Ik wil alleen niet dat je mij als een soort slaafje beschouwt.'
'Ben je wel,' zegt Valentina. 'Of eigenlijk meer een kaboutertje. Woutertje, Woutertje komt als ik roep.'
'Je wilde me iets vertellen,' zegt Job.
'Nu nog niet,' zegt Valentina. 'Kom mee.'
Ze rijden het fietspad af tot ze bij de zandweg naar het Solsche Gat komen. Daar zetten ze hun fietsen op slot en lopen het bos in.
Er zijn niet veel wandelaars meer. Blijkbaar hebben de meeste poemajagers het al opgegeven.
Sukkels, denkt Valentina. Wie gaat er nou in de stralende zon op zoek naar een nachtjager? Ze zouden juist nú moeten komen, en rustig wachten tot de schemering over het bos valt.
'Kijk,' zegt Job opeens. 'Konijntjes.'
Valentina ziet ze ook, onder een oude beuk in de verte. Het zijn

nog jonge diertjes en ze zijn erg speels.

Job blijft roerloos staan kijken. Hij merkt niet eens dat Valentina hem aanstaart. Mooi is hij zo, met die grote ogen. En wat goed dat hij nu ziet hoe prachtig het bos is.

Opeens krijgt een van de konijntjes hen in de smiezen. Hij roffelt met zijn achterpootjes op het zand en binnen de kortste keren is de plek aan de voet van de beuk weer verlaten.

Job zucht.

'Mooi hè,' zegt Valentina. 'Daarom ben ik hier iedere dag.'

'Je wilde me iets vertellen,' zegt Job.

'En laten zien,' zegt Valentina.

Ze trekt hem mee, van het brede zandpad af over een smal spoor tussen de bomen. Boven op een kleine, ronde heuvel gaat ze op het mos zitten. Job volgt haar voorbeeld.

'Grafheuvel,' zegt Valentina. 'We zitten op een lijk.'

'De meeste zijn leeg,' zegt Job. 'Lang geleden al geplunderd.'

'Maar de botten laten ze dan toch liggen?'

'Misschien. En misschien zijn die allang vergaan.'

Ze zwijgen. Job wroet in het mos met de hak van zijn schoen. Valentina peutert aan een oude dennenappel.

Hoe zal ik beginnen? denkt ze. Het leek eerst zo eenvoudig. Zo eenvoudig dat ze er vrolijk van werd. Maar nu slaat opeens de twijfel weer toe.

Is Job wel verliefd, of denkt ze dat alleen maar? Kun je nog wel helder denken als je verliefd bent, kun je nog wel scherp zien? Misschien ziet ze alleen wat ze wíl zien. En dan maakt ze zich onsterfelijk belachelijk als ze er straks over begint.

Aan de andere kant: hij zit hier toch maar weer. In het bos, waar hij zich niet thuis voelt. Telkens weer kruipt hij achter zijn geliefde computer vandaan om haar op te zoeken. En als hij wel aan het toetsenbord zit, doet hij dingen die met haar te maken hebben: poema's en dino's, mailtjes naar Valentina.

Je kunt dan misschien niet meer goed denken als je verliefd bent, heel véél denken kun je uitstekend. Dat blijkt maar weer.

'Er is een nieuw filmpje op die site van laatst,' zegt Job. 'Behalve die president hebben ze nu ook twee zingende herten. Echt iets voor jou.'

Valentina is blij met de afleiding.

'Wat zingen die dan?' vraagt ze.

'O, een uh, een liedje.'

'Ja, logisch,' zegt Valentina. 'Ik had niet verwacht dat ze een voetbalwedstrijd zouden zingen.'

'Nee, maar het zijn herten,' zegt Job zwakjes. 'Dat maakt het grappig. Vind ik.'

Ze zwijgen weer. Het bos lijkt nu nog stiller. Geen zuchtje wind, geen brekend takje. Niets.

'Je wilde iets vertellen over Hans en Grietje,' zegt Job ten slotte.

'Nee,' zegt Valentina. 'Niet over Hans en Grietje.'

Ze strekt haar arm en gooit de dennenappel weg. Met een boog belandt hij in het struikgewas aan de voet van de grafheuvel. Er schiet een klein, geschrokken vogeltje weg.

'Over ons,' zegt Valentina.

- Maandag 25 juni -

En op school heeft ook iedereen het erover. Ze lijken wel gek! Meester ging zelfs een les geven over roofdieren. Hij waarschuwde ons dat we niet te ver het bos in moeten gaan.

Er moet wel heel snel een eind aan komen. Ik denk dat ik Job toch maar alles ga vertellen. Niet dat gedoe van gisteren, geen camera's erbij, maar gewoon alles. En ook dat ik verliefd ben. Dat eerst, dan komt de rest ook vanzelf wel goed. Want hij is ook verliefd op mij, dat weet ik. Dus dan kan hij niet echt heel kwaad worden. Denk ik. Hoop ik.

De vraag is alleen: wanneer? Wat is het beste moment? Vanavond? Morgen? Ik denk morgen.

Morgen is vaak het beste moment voor dingen.

Ik ga gewoon na school met hem mee, naar zijn duffe kamertje. En dan zeg ik: 'Job, laat je archief nog eens zien?' En als hij dat dan doet, ga ik heel snel op 'delete' drukken. Achter mekaar door.

Dan begrijpt hij het wel.

En als hij dan boos wordt, zeg ik dat ik verliefd ben. Dat wil hij toch zo graag horen? Papa zegt altijd dat verliefd zijn bijna hetzelfde is als krankzinnig. Dus dan kan ik het best zo doen.

En dan alles vertellen. Het lijkt me zo heerlijk om alles te vertellen! Geen geheimen meer, je niet meer schamen ...

Misschien wordt Gerrit dan boos. Nou ja, dat gaat wel weer over. Hij is toch mooi op televisie geweest. In Amerika! Dat was hem anders nooit gelukt.

Misschien wordt papa ook boos. Nee, waarom? Die heeft er goed aan verdiend.

En Job? Die ga ik mailen. Zo'n zwijgende dag als

vandaag wil ik niet meer. Ik wil met hem het bos in. Morgen.
Misschien moet ik eerst vragen of hij echt verliefd op mij is. Want dat kan ik wel denken, dat zegt natuurlijk nog niks.
En als ik het dan weet ... Zeg ik het ook. Eerst hij, dan ik. Dat is eerlijk. Want hij had het eerst aan mij gevraagd, in het bos. Dus dat klopt wel. Denk ik. Geloof ik.
Sjongejonge, ik krijg een lamme hand van al deze onzin!

PS En o ja, Marieke gaat haar nieuwe spreekbeurt dus echt houden over de poema. Ik moet van meester een ander onderwerp bedenken. Zal ik het over de liefde doen? Hahaha ...

Toe maar, poema!

tekst en muziek van J. Leidelmeijer

Tussen alle struiken van het wilde, woeste woud
Moet je heel goed opletten, want anders gaat het fout
Kijk dus op de Veluwe maar heel goed om je heen
Anders heb je zomaar scherpe tanden in je been

Toe maar, poema
Toe maar, poema
O, wat heeft dat beest een lol
Lekker in zijn Ermelose hol

Ben je aan het fietsen en hoor je een gesis
Denk je lekke band, nou dan heb je het goed mis
Stap je af en kijk je, dat is echt te gek
Heb je zomaar van die sterke klauwen in je nek

Toe maar, poema
Toe maar, poema
O, wat heeft dat beest een lol
Lekker in zijn Ermelose hol

Toe maar, poema
Toe maar, poema
O, wat heeft dat beest een lol
Lekker in zijn Ermelose hol

11 Broodje aap

Valentina kijkt Job recht aan.

'Nu ga ik het zeggen,' fluistert ze. 'Ik ga van alles zeggen.'

Job houdt voor een keertje zijn mond. Hij begrijpt dat Valentina geen grapjes wil horen. Ze haalt diep adem.

'Wij zijn verliefd, toch? Op elkaar, bedoel ik?'

Job zegt niets. Hij zit voorovergebogen op het mos en wroet in de grond met zijn voet.

'Je moet het zeggen,' zegt Valentina.

Job kijkt op. Hij is rood geworden en zijn ogen ontwijken de hare.

'Ja,' fluistert hij.

'Harder zeggen,' zegt Valentina streng.

'Ik ben wel verliefd op jou.'

'Ik ook. Op jou dan, niet op mezelf.'

Job giechelt. Dat is een vreemd geluid. Heel anders dan zijn normale lachje, als hij zijn eigen grapjes weer zo leuk vindt. Valentina vindt dit échter klinken, meer als Job.

'We kunnen wel zoenen,' zegt ze.

'Maar dat hoeft niet,' zegt Job snel.

Iets té snel. Hij is echt erg zenuwachtig. Valentina glimlacht en ze besluit haar nieuwe vriendje te redden.

'En dan is er nog iets,' zegt ze. 'Over de poema.'

'Wat dan?'

Job is dankbaar, dat ziet ze.

'Die bestaat niet. Iedereen heeft zich maar wat verbeeld. Koos heeft gewoon keihard zitten liegen. Zijn filmpje heeft hij in Brazilië gemaakt. Het is gewoon niet waar.'

'Net als mijn vader dus.'

'Precies. Iedereen roept maar wat.'

Job kijkt Valentina peinzend aan. Ze voelt zich ongemakkelijk onder die blik. Gaat hij kwaad worden? Vindt hij haar een ordinaire bedrieger?

Gespannen kijkt ze naar zijn ogen. Twinkelt er niet een klein lachje in? Het is toch gewoon een grap? Job kan altijd overal om lachen. Laat hem nu dan ook de humor zien, asjeblieft ...

'Dus jij hebt ...' begint Job.

'Ook gelogen. Ik ben begonnen. Omdat ik te laat was. Ik reed door het bos. Nou ja, ik leg het je nog wel eens uit ...'

Job staart haar met grote ogen aan.

'Uiteindelijk is het jouw schuld,' zegt Valentina nog.

Job begint te lachen. Eindelijk, eindelijk. Het is of de zon doorbreekt op een kille herfstdag.

'Broodje aap!' zegt Job. 'Een onvervalst, ouderwets en oer-Hollands broodje aap.'

Dat begrijpt Valentina dan weer niet.

'In het Engels heet het een *urban legend*,' zegt Job. 'Een sprookje uit de grote stad, zeg maar. Of een *fof story*, en dan betekent 'fof' *friend of a friend*. Zeg maar een verhaal dat je via-via gehoord hebt. Zo van, de neef van een vriend van mijn zusje kent iemand, en die heeft ...'

'Je hebt helemaal geen zus, zeg maar,' zegt Valentina. 'Anders zag je er wel wat verzorgder uit, professor.'

'In het Nederlands heet zoiets een broodje aap. Want er is een verhaal van iemand die heel lekker had gegeten in een Afrikaans restaurant, en toen bleek dat apenvlees geweest te zijn. Had hij dus een broodje aap zitten eten.'

'Bah,' zegt Valentina.

'Ja,' zegt Job, 'mijn eerste keus zou het ook niet zijn. Maar het is dus niet waar. Of niet helemáál waar. Want het kan natuurlijk wel, maar er is een hoop van verzonnen.'

'Mijn vader heeft eens verteld over een man die ruzie had met zijn vrouw. Hij vond dat ze weg moest gaan. Dus ging hij een weekend uit logeren en hij zei: "In die twee dagen moet jij je spullen pakken en verdwijnen." Hij dacht dat ze zo kwaad was dat ze zijn huis in een ruïne zou veranderen, maar toen hij die zondagavond terugkwam, was alles gewoon in orde. Al haar spullen waren weg. Alleen de telefoon lag van de haak. Dat viel dus mee. Totdat die man de telefoonrekening kreeg … Zijn vrouw had op vrijdagavond het Japanse weerbericht gebeld en de telefoon laten liggen. De rekening was bijna veertigduizend euro.'

'Mooi bedacht,' zegt Job. 'Ik ken er eentje van een man die over de Afsluitdijk rijdt en dan een lifter ziet. Hij wil stoppen, maar opeens springen er allemaal kerels tevoorschijn met honkbalknuppels en fietskettingen, dus die man geeft gas. Hij hoort nog wel hoe ze op zijn auto slaan, maar hij kijkt niet om. De hele weg naar huis hoort hij een vreemd, rinkelend geluid. Hij stopt niet voordat hij veilig thuis is. Als hij de auto inspecteert, ziet hij een fietsketting klem zitten achter zijn trekhaak. Aan het andere eind zit een bloederige, afgerukte hand ...'

'Getverderrie, Job! Dat wil ik helemaal niet horen!'

'Niet waar, niet waar ... Ik weet nog wel engere!'

'Nee!' roept Valentina. 'Ho!'

Ze legt haar hand over zijn mond. Dat is het begin. Job kleurt weer en kijkt haar zenuwachtig aan.

'Ik wil je wel zoenen,' zegt Valentina. 'Maar alleen als jij het ook wilt.'

Job schudt heftig met zijn rode hoofd.

'Oké,' zegt Valentina. 'Later.'

'We moeten naar de krant,' zegt Job.

'Om te vertellen dat we verliefd zijn?'

'Nee,' giechelt Job. 'We moeten jouw verhaal vertellen. Dat de poema niet bestaat.'

‘Dat de poema een aap is,’ zegt Valentina. ‘Een broodje aap.’
‘Een broodje aap met komkommer,’ zegt Job.
‘Hm,’ zegt Valentina. ‘Dat klinkt opeens een stuk smakelijker. Maar ik wil niet eerst naar de krant. Ik wil eerst naar Gerrit.’
‘Ja,’ zegt Job. ‘Zo hoort het.’
Als ze naar hun fietsen lopen, schuift Valentina haar arm onder de zijne. Job kijkt strak voor zich uit, maar trekt zich niet los.
We zijn een stel, denkt Valentina tevreden. En dat zegt ze ook.
‘We zijn een stel hè?’
‘Er is een jong stel met een baby en een grote hond,’ begint Job opeens. ‘Op een avond gaan ze een uurtje naar de buren. De hond kan wel op de baby passen. Komen ze terug, is de baby doodgebeten en de bek van de hond zit onder het bloed.’
‘Bah,’ zegt Valentina.
‘Die vent wordt zo kwaad, die slaat het beest met een hamer de schedel in,’ zegt Job met een lachje. ‘En dan haalt de moeder het kind uit het wiegje en wat denk jij dat ze ziet liggen, zo half onder het dekentje?’
‘Ik denk helemaal niks en ik wil het niet horen ook!’ gilt Valentina.
‘Een enorme, doodgebeten rat. Had die hond dat kind dus juist geprobeerd te beschermen, begrijp je?’
Valentina haalt diep adem. Ze voelt een vage misselijkheid opkomen. Waarom vertelt Job dit allemaal?
‘Verschrikkelijk,’ zegt ze. ‘Hoe kom je aan die rotverhalen?’
‘Van een site,’ zegt Job. ‘Ik laat hem je nog wel eens zien.’
‘Als je het maar laat,’ zegt Valentina streng.
Hij draait zijn gezicht af en schopt tegen een afgevallen tak.
Misschien is hij gewoon zenuwachtig, denkt Valentina. Misschien vertelt hij die dingen wel omdat hij niet weet wat hij anders zou moeten zeggen. Misschien is hij bang voor de stilte,

voor zijn gedachten. Voor mij.

Maar zelf is Valentina niet bang meer. Ze drukt zich nog iets steviger tegen hem aan. Het hele bos geurt naar honing en het zou Valentina niets verbazen als er twee zingende herten uit de struiken zouden stappen. En dan zongen ze het poemalied, natuurlijk.

'Toe maar, poema,' zingt Valentina zachtjes. 'In je Ermelose hol ...'

'Wat is dat?' vraagt Job. 'Wat zing je?'

'Dat is het poemalied. Gehoord, op de radio.'

'In je Ermelose hol?'

Valentina schiet in de lach.

'Ja, belachelijk toch? Poema's hebben geen hol.'

'Hoe poepen ze dan?'

'Dat is wat anders,' zegt Valentina. 'Dat is geen Ermelo's hol.'

'Punt voor jou,' zegt Job.

Het is lekker om zo weer even te bekvechten. Beter dan nare verhalen en ongemakkelijke stiltes.

'Er is maar één Ermelo's hol,' zegt Valentina met een lachje. 'En dat is jouw slaapkamer.'

Job lacht zijn hoge, klaterende lach. Er vliegt een Vlaamse gaai voorbij en ergens in de verte roffelt een specht tegen een stam.

'O, wat hebben we een lol,' zingt Valentina.

'Ik zal het voor je downloaden,' zegt Job.

- Dinsdag 26 juni - job Job

Er gebeuren zoveel dingen tegelijk met me!
Het is net alsof ik in de achtbaan zit, zonder veiligheidsgordels. Dus ik kan eruit kukelen en op mijn kop vallen, maar ik kan ook gewoon het eind halen.
Job is zo leuk! Met alle stomme dingen, met zijn vieze nagels, met z'n ongewassen kop soms. Dat zie ik allemaal wel, maar het doet er niet toe. Zeker niet na vanmiddag ...
Ik bedoel, die gruwelijke verhalen hadden van mij niet echt gehoeven, maar spannend was het wel. En hij was zo anders, hij lachte anders. En hij kreeg een rooie kop, dat had ik nog nooit gezien!
Ik ben echt blij dat ik het gewoon gezegd heb. En dat Job het ook gedurfd heeft. Want weten wij veel! Het is allemaal best ingewikkeld en eng. Maar het wordt de mooiste zomer ooit, zeker weten.
Misschien lees ik dit allemaal terug als ik oud ben. Dan moet ik er waarschijnlijk om lachen. Maar nu is het heel echt, en nieuw en geweldig.
Ik begrijp niet waarom ik niet veel eerder verliefd ben geworden. Het is het beste gevoel van de hele wereld!
Job gaat me ook helpen met mijn nieuwe spreekbeurt. En ik weet al waar ik die over ga houden; over die site van hem natuurlijk! En dan zoeken we de gruwelijkste verhalen eruit. Net zolang tot Marieke ervan over haar nek gaat.
O, wat voel ik me goed!

Broodje Rat
Het lijkt op kip, het smaakt naar kip, maar is het ook kip? Bekijk de afbeeldingen en oordeel zelf...

Het ei van Columbus
Hoe is de uitdrukking 'Het ei van Columbus' eigenlijk ontstaan. En wie was er eerder: Columbus of het ei?

Oude Efteling-bewoners
Hoezo sprookjesfiguren? Jarenlang woonde er een gezin met kinderen in het huisje van Vrouw Holle

Het vastgespijkerde hoofd
Een bouwvakker spijkert zijn hoofd vast. Ja inderdaad: met kopspijkers!

Wie rijdt er beter?
Een top 10 toont foto's van vrouwelijke weggebruikers die meedogenloos aantonen dat mannen beter rijden ...

Kat werpt puppies
Een kat bevalt van hondenpuppies. Het staat in de krant! Maar zou het werkelijk waar zijn?

Tuinkabouter op reis
Paulus de Tuinkabouter gaat zomaar op wereldreis, maar hij stuurt nog wel kaartjes en foto's.

De aap van Rembrandt
Rembrandt had een aap als huisdier. Dit aapje heeft de wereldberoemde Hollandse schilder handenvol geld gekost.

- Woensdag 27 juni -

Wat ben ik blij dat alles voorbij is. Maar het is ook raar. Je hoort er opeens niets meer van. Alsof er niks is gebeurd. Één klein berichtje, en dat was het dan. De kranten schrijven al weer over andere dingen. Alle oorlogen gaan gewoon door. Niemand heeft het nog over de Veluwe of over Ermelo.
Eigenlijk had ik verwacht dat het een grote rel zou worden. Daar ben ik echt heel erg bang voor geweest. Omdat het mijn schuld was. Maar iedereen haalt zijn schouders op.
Zelfs Koos. Zijn geld is al verdampt, dus heel erg veel kan het ook niet geweest zijn. En hij lacht om alles. 'Soms waait er iets voorbij, weet je,' zei hij vanmiddag. 'En dan ben je een sukkel als je niet een graantje meepikt.' Een graantje in de graanjenever, bedoelt hij waarschijnlijk.
En mijn vader heeft een topweekend gedraaid in het café. Misschien door het mooie weer, maar vooral ook door mij. 'Volgend jaar reken ik weer op je, Vaaltje,' zei hij toen ik naar boven ging. En hij stak een duim op. Maar ik denk niet dat ik volgend jaar nog een keer zoiets ga uithalen ...
Job heeft zijn GPA nog maar even laten staan. 'Misschien is binnenkort Limburg aan de beurt,' zei hij. 'Of willen ze revanche in Zeeland. En het zijn leuke pagina's. Zo ontzettend compleet, hè ...'
Maar hij gaat wel vaker mee naar het bos. Hij heeft dan eindelijk toch begrepen dat er leukere dingen zijn dan naar een schermpje staren. De zomer is nu echt begonnen.
En ik me maar druk maken, de afgelopen week. Misschien kwam het door al die televisie, de radio,

de kranten. Ik bedoel, die vertellen toch niet zomaar iets?
Als iets in het nieuws komt, dan is het ook nieuws. Toch? Het zijn tenslotte allemaal serieuze, grote mensen.
Maar uiteindelijk begreep iedereen dat het komkommernieuws was. Gewoon een komkommer en nu is het een oude komkommer. Een droge komkommer.
Je kunt er zelfs geen salade meer van maken.

Veluwse poema bestaat niet

Toch geen poema!

Na ruim een week vol consternatie en publiciteit is de waarheid nu aan het licht gekomen: de zogenaamde Veluwse poema bestaat niet. Het dier is verzonnen. Boswachter G. van der Krieken heeft dat tegenover deze krant bevestigd. Hij deed geen verdere mededelingen, maar hield het op een uit de hand gelopen leugentje. Ook de filmopnamen van het dier, gemaakt door een dorpsgenoot, blijken niet authentiek. Ze zijn enige tijd geleden in Brazilië gemaakt en het betreft geen poema, maar een ocelot. Alle betrokkenen beschouwen de zaak hiermee als afgedaan. Er wordt geen verder onderzoek ingesteld.

Uit: de Oprechte Ermelosche Courant
van woensdag 27 juni

12 De eerste dag

'Er stond bijna niks in de krant,' zegt Job.

'En geen radio of tv,' zegt Valentina.

'Ze schamen zich natuurlijk,' zegt Job. 'Ze hebben zichzelf onsterfelijk belachelijk gemaakt door alles van elkaar na te praten. Journalisten van niks. Flutschrijvers.'

'Jij had anders ook een heel archief ...'

'Ja, maar dat was voor de lol.'

'In je Ermelose hol,' zingt Valentina.

Job doet of hij het niet gehoord heeft.

'Ik wilde bewijzen dat de poema niet bestond,' zegt hij. 'Nou, dat is gelukt.'

Valentina gaat achterover op het mos liggen. Met haar voortanden maalt ze een grasspriet fijn.

'Toch zit ik wel lekkerder zo,' zegt Job. 'Nu ik zeker weet dat er geen poema is, bedoel ik.'

Valentina kijkt even opzij.

'Meen je dat?' vraagt ze.

'Ja, natuurlijk!'

'Dus je zit lekker?'

'Waarom vraag je dat?'

'Omdat je op een mierenhoop zit,' zegt Valentina. 'Je kunt beter bij mij komen ...'

Job springt op en begint zijn broek af te kloppen.

'Waarom zeg je dat niet eerder?' roept hij kwaad.

'Mierenbeten zijn goed voor je hart,' zegt Valentina rustig. 'En je moet een goed hart hebben.'

'Ik heb ook een goed hart,' zegt Job. 'Ik geef altijd aan collectanten.'

'Omdat je altijd thuis bent.'

Job begint te lachen.

'Jij hebt altijd het laatste woord,' zegt hij.

'Welnee,' zegt Valentina. 'Kom eens hier?'

Ze klopt op de grond naast zich. Job komt aarzelend dichterbij. Voor hij gaat zitten, inspecteert hij de beestjes die in het mos rondscharrelen.

'Hier zijn geen mieren,' zegt Valentina.

Job ploft neer. Hij pakt een takje waarmee hij in het mos gaat zitten pulken.

'Stil is het,' zegt hij. 'Het bos zit vol met beesten en je hoort niks.'

'Wacht maar tot het donker wordt,' zegt Valentina. 'Maar ik wil je iets anders vragen.'

Job kijkt even opzij. Dan stort hij zich weer op zijn opgravingsactiviteiten.

'Is het nou aan?' vraagt Valentina.

Job haalt zijn schouders op.

'Ik vind van wel,' zegt Valentina. 'Maar mag iedereen het weten?'

'Iedereen weet het al,' zegt Job. 'Marieke loopt al een week te roddelen op het schoolplein.'

'Ja, maar jouw ouders, en mijn vader ...'

'We gaan toch niet samenwonen of zo?'

Valentina lacht.

'Dat kan ook helemaal niet. Ik pas er niet in, met die computer van je.'

Job haalt zijn schouders nog eens op.

'Als ze ernaar vragen, misschien,' zegt hij. 'Maar ik ga er niet over beginnen. Dan wordt het allemaal zo officieel.'

'Ja,' zegt Valentina. 'Maar het ís toch ook een beetje officieel?'

Job zegt niks terug.

Officieel is niet het goede woord, denkt Valentina. Misschien had ik ‘serieus’ moeten zeggen. Officieel klinkt zo ... officieel.

‘Want jij en ik, wij zijn toch serieus? Ik bedoel, jij gaat toch niet nu nog met iemand anders staan zoenen?’

Job krijgt een rood hoofd. Een rood hoofd dat heftig van ‘nee’ schudt.

‘Nou dan,’ zegt Valentina.

‘Ik durf niet eens met jou te zoenen,’ zegt Job zacht.

Er ritselt iets tussen de struiken.

‘Stil!’ sist Valentina.

Vanuit het struikgewas, nog geen vier meter van hen vandaan, steekt een rossige kop naar buiten. Twee pientere oogjes staren naar Job en Valentina. Dan is de kop weer weg, net zo snel als hij verschenen was.

‘Vos,’ zegt Valentina.

‘Mooi,’ zegt Job.

Dat is goed, denkt Valentina. Dat Job ziet hoe mooi de natuur in het bos is. Misschien wil hij dan ook wat vaker mee ...

‘Wat zei je nou daarnet?’ vraagt ze.

‘Niks,’ zegt Job. ‘Kom, het begint te schemeren. We moeten naar huis. Anders krijgen we ruzie met die Gerrit van je. En dan moet jij weer een ander dier verzinnen ...’

Valentina geeft Job een plagerige stoot tegen zijn schouder.

‘Ik weet er genoeg,’ zegt ze. ‘Ocelot, jachtluipaard, Siberische tijger ...’

‘Makaak,’ zegt Job. ‘Okapi.’

Valentina lacht.

‘Mandril,’ zegt ze.

‘Neusaap.’

‘Kasuaris.’

‘Kneu.’

‘Gnoe.’

‘Tseetseevlieg.’

Valentina gilt het uit. Ze slaat haar armen om Jobs schouders en kust hem snel op zijn wang. Ze ziet hem blozen, terwijl hij zijn hoofd afwendt.

‘Fennek,’ mompelt hij.

Valentina staat op en steekt een hand uit.

‘Kom op, nerd van me,’ zegt ze. ‘Je hebt gelijk, we moeten gaan. Maar beloof me dat je morgenvroeg nog even meekomt. Voor school begint. Het bos is ’s ochtends heel anders. Beloof je dat?’

‘Hoe vroeg?’ vraagt Job.

‘Vijf uur,’ zegt Valentina.

‘Dat is absurd,’ zegt Job. ‘Dat kun je die beesten niet aandoen.’

‘Beloof het,’ zegt Valentina.

‘Ik weet niet ...’

‘Beloof het, anders krijg je nóg een zoen ...’

‘Ik beloof het, ik beloof het!’ piept Job, met alweer een rode kop.

Hij rent naar de fietsen. Valentina huppelt achter hem aan. Net als ze willen opstappen, komt Gerrit aangelopen.

‘Mooi op tijd, Valentina,’ zegt hij met een knipoog.

‘Ik leer het nog wel,’ zegt Valentina. ‘Een mens is nooit te oud om te leren.’

‘Geen poema’s gezien?’

‘Nee,’ zegt Job. ‘Wel een vos. Vlakbij.’

‘En mieren,’ zegt Valentina. ‘Nog dichterbij.’

‘Te dichtbij,’ zegt Job.

‘En iets heel, heel zeldzaams ook,’ zegt Valentina.

‘Wat dan?’ vraagt Gerrit.

‘De Latijnse naam is Job Jobberensis,’ zegt Valentina. ‘Beter bekend als de roodkop-nerd.’

Ze gilt van het lachen, terwijl ze wegrijdt.
'Wacht maar,' roept Job. 'Ik pak je nog wel terug.'
En meteen zet hij de achtervolging in.

- Zaterdag 16 juni -

Het was alleen maar omdat ik te laat was. Ik weet best dat het bos verboden gebied is na zonsondergang. En ik was ook niet van plan er doorheen te gaan fietsen.
Maar als ik te laat thuiskom, krijg ik huisarrest. En dan verveel ik me dood. Ik kan niet binnen zitten, niet nu het zomer wordt en het bos begint te geuren 's avonds.
Bovendien reed ik maar een heel klein stukje door het bos. Alleen vanaf de camping tot huis. Nauwelijks een kilometertje.
Maar toen ik er bijna was, kwam Gerrit opeens uit de struiken.
'Dat had ik van jou niet verwacht,' zei hij.
Nee, ik ook niet.
En toen heb ik iets bedacht. Heel stom, ik durf het bijna niet op te schrijven.
'Ik heb een beest gezien,' zei ik. 'Daarnet, tussen de struiken. Ik weet het niet, maar volgens mij was het een poema.'
Gerrit moest heel hard lachen.
'Ja hoor,' zei hij. 'Het is weer zomer, dus de poema's komen weer uit de mottenballen.'
Maar ik beschreef het allemaal heel geloofwaardig.
'Veel groter dan een vos,' zei ik. 'En sneller dan een das. Geluidloos. En met van die gele kattenogen.'
Toen werd Gerrit ook wat serieuzer.
'Die dingen komen voor,' zei hij aarzelend. 'Ik zal het moeten melden.'
Dat was helemaal mijn bedoeling niet.
'Niet mijn naam noemen,' zei ik snel. 'Anders mag ik van mijn vader het bos niet meer in.'

Daar moest Gerrit om lachen.
'Alsof jij je laat tegenhouden!' zei hij.
Er ritselde iets in de struiken. Gerrit draaide zich razendsnel om.
'Ga maar naar huis,' zei hij. 'Als er echt een roofdier rondsluipt, mag je van mij ook het bos niet meer in. En niet meer 's nachts van de weg af, begrepen? Zelfs niet als je een olifant tegenkomt.'
Ik zal het die etter van een Job morgen wel inpeperen. Het was zijn schuld dat ik een potje moest liegen.
Met z'n domme computer!

Andere boeken uit de serie NIEUWS!

De Geheime opdracht

Op camping 'De Olmen' is het altijd gezellig in de zomer. Lekker zwemmen, skeeleren, kletsen. Of meedoen aan de spannende speurtocht. Maar dit jaar is er nog iets extra's georganiseerd. Het gaat om een spel met een geheime opdracht en er mogen maar vier kinderen aan meedoen.
Evelien en Amita vormen een team, Wallace en Timo het andere.
Elk team krijgt een envelop met daarin een slordig uitgeknipt krantenbericht. De kinderen weten niet meteen wat ze ermee moeten doen. Toch gaan ze aan de slag en beleven de meest bizarre, spannende en leuke zomer van hun leven.

Mireille Geus heeft een speciaal oog voor bijzondere berichten in de krant. Of het nu gaat over sokken, staatsloten of wandelstokken ...
De wereld zit vol spannende verhalen.
Lees dit boek maar!

Groeten van Terschelling

Tijdens een storm verliest een vrachtschip 59 containers.
Die nacht spoelen op Terschelling een half miljoen schoenen aan.
Voor Lucia is het een droom die uitkomt. Ze is twaalf en gaat na de vakantie naar de brugklas. Tot nu toe maakte haar moeder haar bijzondere kleren zelf, maar Lucia wil voortaan onopvallende merkkleding dragen.
Ze vindt een helebeel sportschoenen op het strand. Nu heeft ze alleen nog geld nodig om de
rest van haar kleding aan te schaffen. Samen met Lennart begint ze een handeltje in flessenpost.

Annemarie Bon las het bericht 'Schoenen zoeken' in de krant en ging op onderzoek uit op Terschelling.
Daarna schreef ze dit zomerse verhaal vol schoenen!

ff dimmen!

Thijs kijkt naar de krant op tafel.
'PESTEN OP INTERNET' staat er groot.
Daar weet ik alles van, denkt hij. Gelukkig kun je een computer uitdoen.
Maar vanaf morgen komt Isa een tijdje bij ons wonen. Als zij nou ook zo'n gemene pestkop is?
Thijs slikt. Wat erg! Dan ben ik zelfs in mijn eigen huis niet meer veilig ...

Els Rooijers las het nieuwsbericht 'Pesten op internet'.
Het liet haar niet meer los. Ze schreef er een spannend verhaal over.

Teuntje Knol
en de knotsgekke honden

Teuntje Knol is een stoer meisje. Ze schaamt zich dood voor haar moeder. Die heeft een warenhuis vol tuttige hondenspulletjes en is dol op van die schattige schoothondjes. Wat is de nieuwste mode voor honden?
Een belangrijke vraag voor de moeder van Teuntje!
Nu is er een hondenshow op komst. De moeder van Teuntje heeft het er maar druk mee. Het mopshondje van mevrouw Paddeburg doet namelijk ook mee en de dames doen er alles aan om elkaars hondje te laten verliezen.
Dan wordt het tijd voor Teuntje om in actie te komen ...

Sanne de Bakker las in de krant het bericht 'De nieuwe kledinglijn voor honden'. Het sprak haar meteen aan. Met dit nieuwsbericht begint dan ook haar knotsgekke verhaal.

Julia's droom

Julia Coolen wordt 'ontdekt' op de uitvoering van haar toneelvereniging.
Henk Breen heeft een bedrijfje in feestartikelen gekocht.
Een miskoop: een loods vol troep, meer is het niet.
Ralf Terlingen wordt op een dag zó ziek dat zijn vader
hem van school moet ophalen.
Wat hebben deze mensen met elkaar te maken? Niets.
Ze zouden ook nooit iets met elkaar te maken krijgen als ze niet
toevallig tegelijkertijd op een grote rotonde reden ...
En in een kettingbotsing terechtkwamen.

*Bies van Ede las het bericht 'Botsing bij Rottepolderplein'
in de krant en bedacht dat een botsing naast narigheid
misschien ook wel iets leuks kan opleveren. Lees dit boek maar!*